季節で綴る南フランス 213

南仏の美しい田舎町と
しあわせ暮らし

町田陽子 著

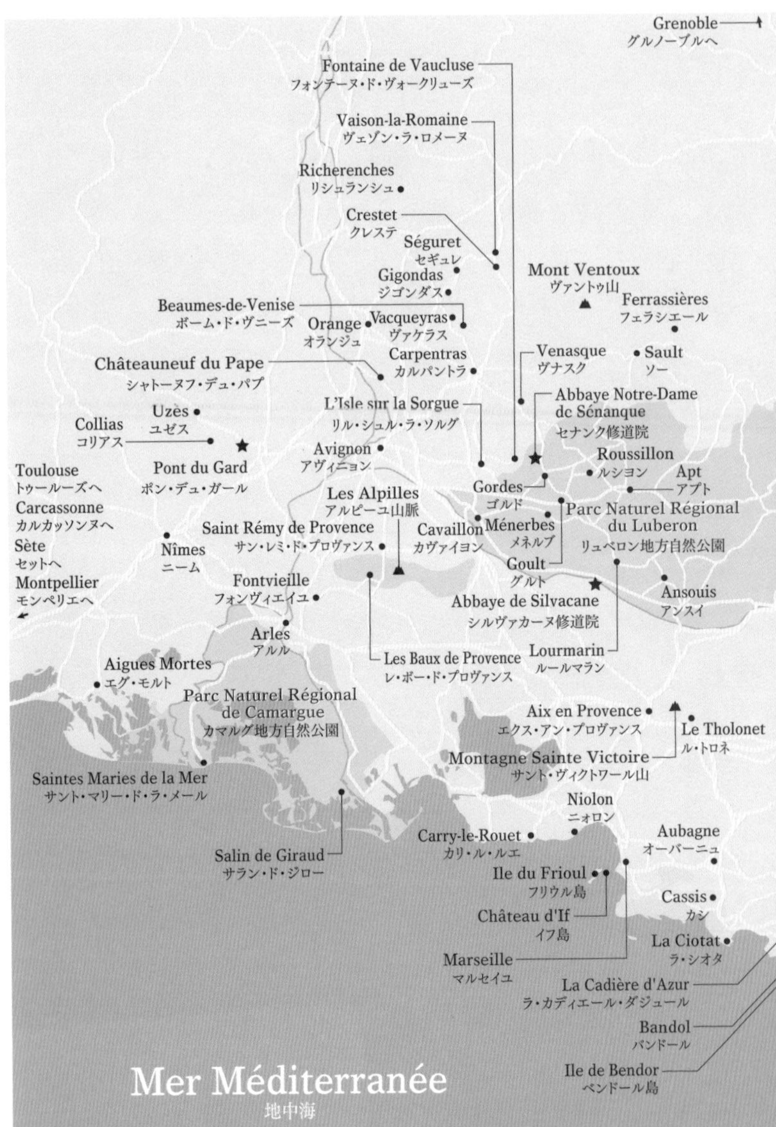
Grenoble
グルノーブルへ
Fontaine de Vaucluse
フォンテーヌ・ド・ヴォークリューズ
Vaison-la-Romaine
ヴェゾン・ラ・ロメーヌ
Richerenches
リシュランシュ
Crestet
クレステ
Séguret
セギュレ
Gigondas
ジゴンダス
Mont Ventoux
ヴァントゥ山
Ferrassières
フェラシエール
Beaumes-de-Venise
ボーム・ド・ヴニーズ
Orange
オランジュ
Vacqueyras
ヴァケラス
Carpentras
カルパントラ
Venasque
ヴナスク
Sault
ソー
Châteauneuf du Pape
シャトーヌフ・デュ・パプ
Abbaye Notre-Dame de Sénanque
セナンク修道院
L'Isle sur la Sorgue
リル・シュル・ラ・ソルグ
Uzès
ユゼス
Collias
コリアス
Avignon
アヴィニョン
Roussillon
ルシヨン
Toulouse
トゥールーズへ
Pont du Gard
ポン・デュ・ガール
Gordes
ゴルド
Apt
アプト
Carcassonne
カルカッソンヌへ
Les Alpilles
アルピーユ山脈
Parc Naturel Régional du Luberon
リュベロン地方自然公園
Sète
セットへ
Saint Rémy de Provence
サン・レミ・ド・プロヴァンス
Cavaillon
カヴァイヨン
Ménerbes
メネルブ
Nîmes
ニーム
Montpellier
モンペリエへ
Goult
グルト
Fontvieille
フォンヴィエイユ
Abbaye de Silvacane
シルヴァカーヌ修道院
Ansouis
アンスイ
Arles
アルル
Lourmarin
ルールマラン
Aigues Mortes
エグ・モルト
Les Baux de Provence
レ・ボー・ド・プロヴァンス
Parc Naturel Régional de Camargue
カマルグ地方自然公園
Aix en Provence
エクス・アン・プロヴァンス
Le Tholonet
ル・トロネ
Montagne Sainte Victoire
サント・ヴィクトワール山
Saintes Maries de la Mer
サント・マリー・ド・ラ・メール
Niolon
ニォロン
Carry-le-Rouet
カリ・ル・ルエ
Aubagne
オーバーニュ
Salin de Giraud
サラン・ド・ジロー
Ile du Frioul
フリウル島
Cassis
カシ
Château d'If
イフ島
La Ciotat
ラ・シオタ
Marseille
マルセイユ
La Cadière d'Azur
ラ・カディエール・ダジュール
Bandol
バンドール
Ile de Bendor
ベンドール島
Mer Méditerranée
地中海

La Grave
ラ・グラーヴへ
Saint Véran
サン・ヴェランへ
Lac de Serre-Ponçon
セル・ポンソン湖
イタリア
Sisteron
シストロン
Saorge
サオルジュ
Menton
マントン
Forcalquier
フォルカリキエ
Entrevaux
アントルヴォー
Sainte Agnès
サント・アニエス
Saint-Paul-de-Vence
サン・ポール・ド・ヴァンス
Coaraze
コアラーズ
Moustiers Sainte Marie
ムスティエ・サント・マリー
Valensole
ヴァランソル
Vence
ヴァンス
Cap Martin
カップ・マルタン
Tourrettes-sur-Loup
トゥレット・シュル・ルー
Èze
エズ
Parc Naturel Régional
du Verdon
ヴェルドン地方自然公園
Bargème
バルジェーム
Gourdon
グルドン
Nice
ニース
Grasse
グラース
Seillans
セイヤン
Biot
ビオット
Cannes
カンヌ
Tourtour
トゥールトゥール
Antibes
アンティーブ
Mandelieu-la-Napoule
マンドリュー・ラ・ナプール
Cotignac
コティニャック
Vallauris
ヴァロリス
Abbaye du Thoronet
トロネ修道院
Saint-Jean-Cap-Ferrat
サン・ジャン・カップ・フェラ
Villefranche-sur-Mer
ヴィルフランシュ・シュル・メール
Saint Tropez
サン・トロペ
Monaco
モナコ
Le Castellet
ル・カストレ
Collobrières
コロブリエール
Gassin
ガサン
Hyères
イエール
Toulon
トゥーロン
Bormes-les-Mimosas
ボルム・レ・ミモザ
Sanary sur Mer
サナリー・シュル・メール
Ile de Porquerolles
ポルクロール島
ベルギー
ドイツ
Paris
パリ
フランス
スイス
イタリア
Marseille
マルセイユ
Nice
ニース
スペイン
Corse
コルス島

はじめに

「南仏に行くならどの季節がおすすめですか?」と聞かれるたびに答えに窮してしまうのですが、今回、私なりの回答を一冊に詰め込んでみました。春の兆しが感じられる「春のはじまり」、花が咲き競う「春」、生きとし生けるものが輝く「初夏」、ラベンダーが美しいヴァカンス本番の「盛夏」、収穫と芸術の「初秋」、心安らぐ平穏な「秋」、ノエルと新年を迎える「冬」――。7つの章に分けて、213のエッセイを綴りました。添えた写真を眺め、想像力を駆使してイメージを膨らませながら読んで旅していただければうれしいです。

本書では、季節とともに南仏プロヴァンスやコート・ダジュールの町や村、日常生活やお祭り、名所、自然、動植物、郷土料理やお菓子などをご紹介しています。フランスの習慣や行事などにも触れました。旅の参考にしていただき、皆さまの南仏の旅が、さらに色あざやかで思い出深いものになればと願っています。

旅のヒントだけでなく、暮らしのヒントになることや、南仏の人々の考え方も随所にちりばめたので、生き方のヒントにもなるかもしれません。20代の頃から多くの旅をしてきましたが、世界中を旅しながら、本当の幸せってなんだろうと思いながら生きてきました。南仏で暮らす今、その答えが見つかった気がしています。

ページを開くと教会の鐘の音やマルシェのざわめきが聞こえてくるような、南仏の風がふわっと感じられるような、そんな一冊になっていたらと願います。さぁ、南フランスの季節の旅へ、お供いたしましょう。

L'éveil

春のはじまり

1輪の春告げ花に心躍る

NO.001

枯れ木のなかに、光がともるようにぽつんぽつんと咲きはじめるアーモンドの花。冬から春へ、季節が移り変わる瞬間を見逃さないように目を凝らしていると、野や山で、この淡いピンクをおびた可憐な花に出会います。村の家々の煙突からは暖炉の煙が出ているけれど、太陽の日差しは着実に強くなってきて、そろそろ戸外で散歩でもしようかという頃。プロヴァンスっ子が心待ちにする、春を感じる最初の瞬間です。

プロヴァンスはアーモンドの産地。リュベロン地方やエクス・アン・プロヴァンス郊外などを車で走っていると、自生した大きなアーモンドの木がそこここで見られます。西アジアから地中海沿岸部に渡り、中世にプロヴァンスに根づき、広く栽培されるようになったそう。100年以上生きる長寿の木です。愛らしい春告げ花の花言葉は「希望」。もうすぐ春。プロヴァンスが輝く季節がやってきます。

眺めのいい部屋

NO.002

海抜約400mの崖に築かれた鷲ノ巣のような村エズの眼下には、真っ青な海が悠々と広がっています。紀元前2000年にリグリア族によってつくられたこの村は、まさに海と空だけの別世界。夏ももちろん美しいのですが、とてもにぎやかな観光地になるので、人が少ない時期をあえて狙って来るのが私は好きです。

ここまで来たら、村を散歩だけして立ち去るのはもったいない。村にふたつあるシャトーホテルのうち、中世の面影を宿すChâteau Eza（シャトー エザ）は、冬季も完全休業はせず、営業している期間が長い宿。朝、部屋のカーテンを開けると、海と空の境界線もわからない青一色。そんな場所にいると、心のなかの不純物がゆっくりと溶け出していくようです。泊まらなくても、テラスでグラスワインやお茶を1杯いただいて、光り輝く景色と静寂を胸に刻みこみましょう。旅を終えた後、いつどこにいても、心だけこの地に飛べるように。

一年の幸せを願ってクレープを　NO.003

2月2日はシャンドルールと呼ばれる日。クリスマスから40日後にあたり、聖母マリアがイエスを神に捧げ、お清めの儀式をしたといわれる日です。けれどフランスでは、本来の意味より「クレープを食べる日」として定着しています。一年の豊穣と幸福を願って、丸い形と黄金色が太陽を想起させるクレープを食べるのだそう。

わが家のクレープ生地のレシピはこちら（約12枚分）。

ボウルにふるっておいた薄力粉とグラニュー糖、塩を入れ、卵３個を加え、泡立て器で混ぜあわせ、常温の牛乳500mlを少しずつ混ぜ入れます。溶かして少し冷ましたバター10gを加えて混ぜ、常温で最低1時間ねかせます。フライパンを熱してクッキングペーパーで油を均等にしき、お玉で生地をすくって一気に流し入れ、フライパンを動かし均等に生地を広げます。焼き色がついたらひっくり返し、裏面を焼きましょう。フライパンは、生地が焦げつかないコーティングがされたタイプのものを使用します。

フライパンにクレープ、その上にハム、目玉焼き、とろけるチーズをのせてあたためれば「クレープ・コンプレット」。ジャムや蜂蜜、グラニュー糖、チョコレートスプレッドなどをのせれば、デザートの甘いクレープになります。

ところ変われば品も変わる　NO.004

シャンドルールの日にクレープではなくビスケットを食べるのは、フランス広しといえどマルセイユっ子くらいなものだと思うけれど、それも小舟をかたどったナヴェットでなくてはなりません。なかでも、シャンドルールのミサを行うサン・ヴィクトール修道院そばにある18世紀創業の老舗Four des Navettes（フール デ ナヴェット）のものが有名です。もともとバターがなかったプロヴァンスでは、お菓子にもオリーブオイルが使われてきましたが、代々受け継がれてきたレシピでつくられたこの店のナヴェットは恐ろしくかたい。1本50gもあり、歯が折れそう……。

春は再生の季節。新しいページをめくり、まっさらなページに踏み出す季節です。だからこそ、本格的な活動の季節に向けて、体力と知力をしばし温存しておきたい。ナヴェットをカフェ（コーヒー）に浸し、日当たりのいい窓辺でコーヒータイムなどを楽しんでみましょうか。

南仏流、ミモザのお花見

NO.005

地中海沿岸エリアでは、1月頃から大地が黄色に色づいてきます。近くで見ると、密集した房がふわふわと風に揺れてかわいい。あざやかな黄色の花ミモザは、見ているだけでエネルギーをもらえるようです。コート・ダジュールのボルム・レ・ミモザからグラースまでの丘陵地は、延々130kmも続く「ミモザ街道」。ランドネ（P.17）のコースもあり、週末などは車を停めるスペースを探すのも大変なくらい、多くの人が"花見"を楽しみます。ミモザ街道沿いの町マンドリュー・ラ・ナプールでは、2月の週末にミモザ祭りが開かれます。ミモザで飾った花車のパレードがあり、レストランではミモザ味のお菓子がふるまわれたり。

わが家では、この季節は「ウフ・ミモザ」というゆで卵料理と、シャンパンをオレンジジュースで割ったカクテル「ミモザ」で早春色の食卓を楽しみます。

愛する人に似た花を　NO.006

　フランスでは、男性から愛する女性に花を贈るのが習慣の2月14日、Saint Valentin(サン ヴァランタン)。だからこの日は、花束を抱えて先を急ぐ人があちらこちらで見られます。恋や愛に年齢は無関係。若いカップルもいれば、長年連れそう夫婦や恋に落ちたての老年カップルだって。

　年に一度、おおっぴらに愛を語れる日を無駄にするのはもったいない。日本でも、夫や妻や恋人から花をもらってうれしくない人はいないはずです。花は不思議。私たちの心のうちを雄弁に物語ってくれます。口下手で愛を表現できていない人はぜひ、愛する人に雰囲気が似た花を選んでみてください。フランスでは愛の花といえば赤いバラが定番ですが、自分のために心から選んでくれた花は何にも勝る贈りものです。

この時期だけは、好きなだけ

NO.007

古代からウニを食べていたのは日本人と地中海沿いに暮らす人たちと聞いたことがあるけれど、たしかにウニと聞いて血が騒ぐのは、日本人も南仏っ子も変わりません。2月から3月にかけて、マルセイユから西へ続く沿岸エリア、コート・ブルーの港町カリ・ル・ルエや、モンペリエ近くの港町セットなどでは、毎年恒例のOursinade（ウルシナード）（ウニ祭り）が開催され、多くの人でにぎわいます。

獲れたての殻つきウニを漁師がひたすらカットして皿に盛り、我々は白ワインを片手に、ひたすらスプーンですくっていただきます。ヨードをたっぷり含んだ濃厚なオレンジ色のウニ。これに冷えたプロヴァンスの白ワインがじつに合うのです。ウニ祭りに行けなくても、この時期はウニを出す海辺のレストランが少なくありません。

絶えることなくウニを堪能するために、漁獲が許されているのは11月1日から4月15日の期間だけ。大きさや量もきびしく決められています。

山羊の休暇が明ける頃

NO.008

2月中旬を過ぎると、山羊(やぎ)のチーズ農家から「Portes ouvertes(ポルト ウーヴェルト)！(みなさん、お越しください！)」という、年明け最初のチーズの販売イベントのお知らせが届きます。夏は酷暑となるプロヴァンスでは、昔から牛ではなく山羊や羊を飼ってチーズをつくってきました。牝山羊は秋に妊娠し、出産までミルクが出ないので、冬は山羊の休暇期間なのです。そのため冬季は休業している生産者が多く、2月頃に出産して乳が出るようになったら、少しずつチーズづくりが再開されます。4月になれば赤ちゃん山羊は離乳するので、チーズづくりも本格的に。

山羊のペースに合わせてチーズをつくるということに、最初は驚きました。考えてみれば当たり前のことですが、人間が最優先ということに慣れてしまっていたのかもしれません。つくりたての山羊のチーズはやさしい味。クセもないので、先入観なしでお試しあれ。

南仏のカーニバルは花づくし NO.009

ブラジルのリオ、イタリアのヴェネツィアに並ぶ世界三大カーニバルのひとつが、ニースのカーニバル。1875年から続く歴史ある祭りで、毎年2月に開催されます。「花合戦」と呼ばれるパレードが見もので、花で飾られた何台もの山車(だし)にカーニバルの女王らが乗り、観客に花を投げ、ミュージシャンとダンサーが練り歩きます。

「コート・ダジュールは花を育てる温室、パリは花を売るブティック」といったのは南仏に暮らしたパリジャンの芸術家ジャン・コクトーですが、単なるイメージではなく、その言葉通り、この地は生花の生産が盛ん。花合戦も地元の生産者への敬意を表して1876年から続いている出しものなのです。フィナーレには海辺で花火が打ち上げられ、歌って踊って大騒ぎの伝統的なカーニバルの幕が閉じられます。

心おきなく油を食べる日

NO.010

復活祭前の40日間は四旬節と呼ばれ、敬虔なクリスチャンはこの間、肉や油を含む食品を断ち、精進します。これはイエス・キリストが荒野で40日間断食したことにちなんだもの。カーニバル（謝肉祭）はその節制期間を迎える前に思いきり騒ぐ期間なのですが、その最終日がMardi Gras（肥沃な火曜日）。復活祭まで食べられない肉やお菓子を最後にたっぷり食べよう！ という日です。

この期間、フランス各地で油菓子を食べる風習がありますが、プロヴァンス地方では小麦粉でつくった生地を薄く切って揚げたオレイエットが定番です。それにしても、今や節制も断食もしない人がほとんどだというのに、マルディ・グラの習慣だけはしっかり残っているというのがフランスらしいと感じます。

フランス人が好きな休日の過ごし方　NO.011

南仏の早春の楽しみは、ランドネ。トレッキングやハイキングのことですが、この時期は冷気を含んだ引きしまった空気で、歩くのにちょうどいいのです。

フランスには、ランドネ連盟による標識つきのコースが20万km以上もあります。私の暮らすヴォークリューズ県だけでも3000km。ランドネのアプリを見れば、難易度や所要時間、高低差などが地図とともに細かく記され、自分に合ったコースを簡単に選ぶことができます。ランドネ好きな人のための雑誌もあります。

オリーブ畑を眺めながら歩いたり、鷲ノ巣村から修道院を目指したり、古代ローマの遺跡で歴史に触れたり、海の潮風を感じたり……。紫の小花をいっぱい咲かせるローズマリーの香りのなかで、大きく深呼吸。料理用にも少しいただいて帰りましょう。見上げれば抜けるような青空。そう、南仏の空は一年中青いのです。

マントン産は甘い？

NO.012

マントンは地中海に面したイタリアとの国境にある町で、レモンが有名です。15世紀にスペインから持ち込まれ、植えられたのがはじまりとか。よく「マントンのレモンは甘い」と表現されますが、甘いわけではなくレモン特有の酸味が少ないのです。地元の人はオレンジのようにそのまま食べるというので、試しに厚くスライスしてかじってみたら、なんとさわやかでおいしいこと。皮や白い部分も、苦みもなく美味。

収穫は2月から5月で、大きくて形のいいものを葉と一緒に手摘みします。生産量が少ないうえにIGPという地理的表示保護がされていて選別もきびしく、有名レストランに卸されることが多いため、あまり市場には出まわりません。マントンのマルシェや商店で見つけたら、迷わず手に入れたいもの。カーニバル期間にはレモン祭りも開催されます。レモンとオレンジでつくられた巨大な彫像が町に飾られ、山車のパレードもにぎやかです。

レモンの絶品スイーツ

NO.013

レモンのタルト「タルト・オ・シトロン」はフランス中、どこででも食べられるけれど、柑橘王国コート・ダジュールのものはひと味違います。レモンの酸味が少ないから、砂糖少なめでつくる店が多いそう。タルト生地を土台に、甘酸っぱいレモンクリームがどっしり。生地がサクッ、クリームがとろり。生地のバターの風味とレモンの酸味が絶妙のマリアージュです。メレンゲがのっているタイプもありますが、ないもののほうが私は好き。お気に入りのマントンのブランジュリーMitron（ミトロン）のものもメレンゲなし。四角にカットしたタルト・オ・シトロン（写真右）はシンプルですが、絶品です。

もうひとつ南仏には忘れてはいけないレモンのスイーツがあります。リンゴのコンポートが入ったショソン・オ・ポムは、フランスの定番ヴィエノワズリ（菓子パン）ですが、南仏ではレモンクリーム入りのショソン・オ・シトロンも人気。こちらもクセになるおいしさです。

流通距離は短ければ短いほうがいい　NO.014

スーパーがどれだけ林立しようとも、マルシェ（市場）は庶民になくてはならないもの。私の住んでいるリル・シュル・ラ・ソルグの町は通年、木曜日と日曜日に旧市街でマルシェがたちますが、土曜日には郊外のプティ・パレ地区で地元の生産者だけが出店する市があり、3月上旬にスタートします。

ここに行くとひと目で旬がわかります。いちごだけ、アスパラガスだけ、レタスだけを売っているようなスタンドがずらり。逆にこの時期ならトマトはだれも売っていません。まだ季節じゃないからねぇと返事が返ってきます。南仏に来てから、食べたい料理に合わせて素材を探すのではなく、手に入る素材から料理を考えるようになりました。

フランスでもLes circuits courts（レ スィルキュイ クール）（短い流通）という概念が急速に広まっています。農産物の流通距離は短いほうがいいという考え方。流通履歴が追跡でき、環境にやさしく、価格も安い！

甘いプティ・デジュネではじまる一日 NO.015

ヨーロッパでも朝から卵やソーセージを食べる英国のような国もありますが、フランスの朝食Petit déjeuner（プティ デジュネ）は甘くて簡素。一般的なのは、パンにバターとコンフィチュール（ジャム）をのせる「タルティーヌ」。それとカフェオレをたっぷり。平日はシリアルや食パンなどを買いおきして、焼きたてのクロワッサンやバゲットは休日のお楽しみという人も多いようです。一般的にサラダや卵などは食べません。

カフェではジュース、クロワッサン、あたたかい飲みものの朝食セットが用意されているところもあり、なければ近くのブランジュリーでパンを買ってカフェオレと一緒にいただいても。フランスをはじめイタリアやスペインなどでは夕食時間が遅く、あたたかい料理をたっぷり食べる習慣があるので、朝は軽めがいいのでしょう。

南フランスの“愛の花” NO.016

ニースの空港から20kmほど北西に、トゥレット・シュル・ルーという小さな村があります。1世紀前からスミレが栽培されてきた村で、11月末から3月は花はブーケにして売られ、花びらは砂糖漬けにされます。そして5月と9月には葉が刈り取られ、グラースの香水工場で香水になります。バラのような華やかさはないけれど、小さくて楚々としたかわいらしいスミレの花が南仏っ子は大好きです。“愛の花”といわれるゆえんは、葉の形がハート形だから。

残念なことに、現在、スミレ栽培の中心はエジプトに移り、南フランスの生産者はこの村の3軒だけになってしまいました。村の伝統を伝えるスミレ祭りが3月上旬に開催されますが、いつまでもスミレの村であり続けてくれることを祈ってやみません。

甘い衣を着た花びら

NO.017

スミレの花は可憐でいい香り。このかわいらしさをなんとかして封じ込められないものかと思ったのは、昔の人も同じだったよう。花びらを砂糖漬けにしてしまいました。17世紀にはすでにその記述があるそうです。

トゥレット・シュル・ルーのスミレも、砂糖漬けに生まれ変わります。摘み取られたらすぐに花びらを砂糖で覆い、乾燥させて、かりかりの紫色の砂糖の衣を着たスミレの花びらに変身。南仏ではシャンパンのお供にされたり、くだいてケーキのトッピングにされたり。バラの花びらやヴェルヴェーヌ（レモンバーベナ）の葉も同様に砂糖漬けにされるので、わが家でも3色取りそろえて夕食のデザートにトッピングして、私たちが営むシャンブルドット（宿）のお客様にお出しすることが多いです。スミレの生産者からや、ニースのコンフィズリーFlorian（フロリアン）などで購入できます。Fleurs cristallisées（フルール クリスタリゼ）といいます。

地中海からアルプスへ。英雄の旅

NO.018

皇帝退位に追い込まれ、地中海のエルバ島に追放されていたナポレオン1世が、島を脱出して再びパリを目指したその時にたどった道を「ルート・ナポレオン（ナポレオン街道）」といいます。ジュアン湾からカンヌ、グラースを経て、アルプスに抜けてグルノーブルに至る道。1815年3月1日に上陸し、324kmを7日で行軍しました。もっとも警戒したオート・プロヴァンスの要塞都市シストロン（写真）では、想像に反して歓迎されたそう。リベンジの手ごたえを感じた場所だったかもしれません。

敵の王政軍を寝返らせ、逆転劇でナポレオンは再びの天下を手にしました。けれどそれは百日天下に終わり、10月には南大西洋の孤島セント・ヘレナに幽閉。6年後に死去しました。「人生でもっとも印象的な旅」だったと自ら語った、ナポレオン街道の旅。英雄の旅を想像して歩いてみると、また違った南仏が見えてきます。

フランス女性は昔から先進的？

NO.019

3月8日は国際女性デー。国連が女性の平等な社会参加を呼びかける日。そろそろこんな日は不要になってほしいものですが、世界にはまだ女性の参政権がない国があります。

フランス女性は開放的で先進的なイメージがありますが、じつは戦前までは、女性は家で子育てと料理と掃除という時代でした。フランスで女性に投票権が与えられたのは意外と遅く、1944年。また50年ほど前は、授かり婚なんてとても人にいえないムードだったそう。戦後から少しずつ、そして70年代、80年代から大きく進化したフランスの男女平等的社会、拍手せずにはいられません。

国際女性デーのシンボルの花はミモザ。女性の明るさや繊細さ、エレガンスをこの花に感じるのでしょう。女性は存在そのものが太陽のようなものなのだと、黄色の花であふれかえった花屋さんの前で、毎年あらためて感じます。

ファーブルの生き方に学ぶ

NO.020

『昆虫記』で有名な昆虫学者ジャン・アンリ・ファーブルは、生粋のプロヴァンス人。昆虫、きのこの研究や水彩画、詩の創作にいたるまで、マルチな才能を持った人でした。でもその才能が開花したのは、56歳で自分の家を持った後のこと。それまでは高校の先生をしながら5人の子どもを育て、裕福とはいえない暮らしをしていたといいます。

その家はオランジュ近郊の小さな村にあり、見学もできるのですが、荒れ地の庭に虫や鳥が自由に飛ぶ、昆虫学者にとっての理想の家でした。ここで誰にも邪魔されずに虫を観察し、『昆虫記』シリーズの執筆に没頭することで、ファーブル自身もサナギから蝶に変身しました。91歳で亡くなるまでの36年間「いつも地面をじっと見ている変人」と近所の人に思われようが気にせず、50代後半から好きな道を邁進したファーブルの生き方は清々しく、勇気がもらえます。

Le printemps

春

私のパワースポット

NO.021

心がすっきりして元気になれる場所をパワースポットというなら、ここはまちがいなく私のパワースポット。南仏育ちの夫が昔から悩んだり落ち込んだ時にやってきたという場所で、私が南仏に居を移してすぐに連れてきてくれました。

マルセイユの隣の港町カシ。断崖の上を走る道路ルート・デ・クレットの急斜面を上がっていくと視界が開け、眼下に地中海が広がります。海と空がひとつになり、石灰岩の白い山肌が輝き、カランクと呼ばれる細長い入江が連なっているのが見えます。足元にはハーブが自生していて、風にのってふわっとローズマリーやタイムの香りが鼻をかすめて……。

ここに来たら、太陽の輝きを全身で感じて、風の音に耳を澄ませ、崖の下でそっと寄せてはかえす波の音を想像します。五感が研ぎ澄まされ、自然のエネルギーをもらえる場所。春の早い時期や秋だと人も少なくて静か。夕方も美しい。風が強い日は、道が閉鎖されます。

アスパラガスはシンプルイズベスト　NO.022

太陽に恵まれたプロヴァンスは、フランスのなかでもとくにおいしい野菜が育つことで知られる地域。束ねられた白いアスパラガスがマルシェにお目見えすると、春が来た！　と心躍ります。最初、日の光にあてずに育てた白が並びはじめ、緑や紫が続きます。極太・太・細などと太さ別に束ねてありますが、極太がジューシーで甘みがあり、食べごたえがあります。でもさらなるぜいたく品は、やわらかい先端の部分だけ切って量り売りされているもの。

ゆでるとうまみが半減してしまうので、わが家では蒸すかポワレします。ポワレというのはフライパンで焼くこと。フタをして白ワインを足して蒸し焼きにします。塩とオリーブオイルだけ、あるいは自家製のマヨネーズを添えて食べても最高！　白とグリーンの両方を食べくらべても。

フランス人が心待ちにする春のごちそうです。アスパラギン酸という栄養素が豊富なので、疲労回復効果も期待できそうです。

テラスを飾る楽しみと悲しみ

NO.023

そうだ、今日は種苗店に行こう。そう思い立ち、花の苗を買い、テラスを飾る春の一日が好きです。猫の額ほどのテラスとはいえ、配色を考えながら土いじりをするのは楽しい。台所の窓辺にはセージとバジルを鉢植えに。リビングの窓辺には赤のゼラニウム。冬枯れでモノトーンのようだった家に光がさすようで、植え終わった後は外から眺めてひとりうっとり。夫は花には興味がさほどないようで、毎日せっせと花がら摘みをしてる努力も知らずに、花は自然に美しさを保ってくれるものだと思っている節が。けれど、人それぞれ興味のありようは違うので、理解してほしいというつもりはありません。

問題は、待ち受ける夏。テラスに照りつける太陽は半端なく、春の間は気持ちよさそうに咲いていた花も、とたんにぐったりしてしまいます。毎日が直射日光との闘いで、か弱い花は淘汰されてしまうのです。毎年、南仏の日差しに負けない強い花を探しては試しています。

スペシャリテは川魚

NO.024

4月になると、リル・シュル・ラ・ソルグの町や郊外に釣り人がやってきます。町のまわりを流れる清流のソルグ川にはニジマスやブラウントラウトなどが生息しており、マス釣りのメッカなのです。

4月頭から9月中旬までしか釣りは許可されていないので、待ってましたとばかりに、皆うれしそうに糸を垂れています。保護のため、期間、サイズ、方法、釣り鉤のタイプなどきびしい規則があり、持ち帰りはブラウントラウトならひとり1日5匹。それ以外はリリースするのがルール。

ソルグ川では養殖も行われていて、マス料理はこの町のレストランのスペシャリテになっています。スモーク、切り身のポワレのほか、塩でマリネするグラーブラックス（写真）が人気。身のフレッシュ感が残り、上品なマスの持ち味がいかされていて、私もお気に入り。キリッと冷えた地元の白ワインと合わせれば、気のきいたアペリティフのアテになります。家ではシンプルに、塩焼きにして白いごはんといただきます。

春の芽吹きは突然に

NO.025

プロヴァンスのどの季節がいちばんおすすめですか? とは、よく聞かれる質問ですが、15年以上この地に暮らしても、どの季節も美しくて答えが見つかりません。ただ、どの季節が好きかと問われれば、プラタナスが芽吹く頃からはじまる花の競演は魔法のようで、春のこの時期がいちばん心躍る季節と即答できます。

プラタナスが芽吹くのは4月の中頃で、数日の間に芽がふくらみ、あっという間に葉をつけてしまいます。一瞬で風景が変わるといってもいいほどの早業です。それを皮切りに、大地のエネルギーが爆発するように草花が開いていき、1週間前までは枯れ木のようだったツタも、つやつやの緑をまとっていきます。辛いことがあっても季節はめぐり、自然が心を癒してくれます。大好きなあの渡り鳥もまた来てくれました。

世界で唯一の自分だけの香水

NO.026

南仏では、いつも何かいい香りがします。花やハーブ、海や松や森の土のにおいなどが混じり合い、季節の移り変わりとともに変化していきます。南フランスの香りの聖地といえば、グラース。海から17kmほど内陸に入ったこの町は花の栽培に適した気候で、世界に名を馳せる"香水の首都"。でもそうなったのには訳があるのです。

16世紀、イタリア出身のカトリーヌ・ド・メディシス王妃がしていた「香水を染み込ませた手袋」が流行。中世からなめし革で栄えていたグラースは、手袋製造に香水製造という新たな産業を加えてビジネスチャンスをつかみ、大成功しました。

現在、グラースでは老舗の香水工場で、調合体験ができます。たとえばヴィクトリア女王が愛したMolinard(モリナール)では、調香師のアドバイスを受けながらトップ、ハート(ミドル)、ベース(ラスト)ノートの香りを選び、調合して持ち帰れます。そのほかGalimard(ガリマール)、Fragonard(フラゴナール)などでも可。

コート・ダジュールとコート・ブルー

NO.027

南仏の海岸には、コート・ダジュール（紺碧海岸）という有名なニックネームがあるけれど、じつはどこからどこまでなのかはあいまいです。東はイタリアとの国境の町マントンでまちがいないけれど、問題は西がどこまでか。「もちろんカシまでよ」「いや、トゥーロンまで」「サン・トロペまで」と聞く人によって答えが違うのですが、夫の意見は「イエールまで」。たしかにイエールはこの地域で最初に発展した冬の保養地なだけに、ヤシの木が並び、リゾート感もあります。

かたや、2600年の歴史をもつ港町マルセイユと以西の海辺はコート・ブルー（青海岸）と呼ばれます。こちら側にくると、町の中心は港で、朝の魚市場は地元っ子で大にぎわい。ニースやカンヌのように海辺に高級ホテルが林立しておらず、まわりの丘は岩山のように緑が少なく白くゴツゴツしています。紺碧海岸と青海岸。名前は似ているけれど、雰囲気はかなり違うのです。

思い立ったら、屋外でごはん

NO.028

春は、野外での食事が楽しい季節。といっても南仏っ子は1月でも暖かい日は家のテラスでランチをしたり、ベランダで上半身裸でビールを飲んで日光浴していたりします。カフェのテラス席を陣取るのも、夏だけでなく冬も同じ。とにかく太陽が大好き。となれば、気候のいい春にピクニックに行かない手はありません。

何も気合を入れて特別おしゃれなピクニックセットを持参するわけではなく、思い立ったら、ささっとサンドイッチやサラダをつくり、冷蔵庫のパテやチーズや野菜と一緒にかごバッグに入れて、眺めのいい戸外で食べるだけ。お気に入りの水辺で、あるいは山の上の見晴らし台や近所の公園で。頻繁に楽しむためには、何事も気楽にやるべし。

夕暮れ時のマルセイユの海辺で、シャンパングラスまで持参してピクニックしていた若いカップルを見かけたことも。屋外に一歩出るだけで、素敵な非日常を味わえます。

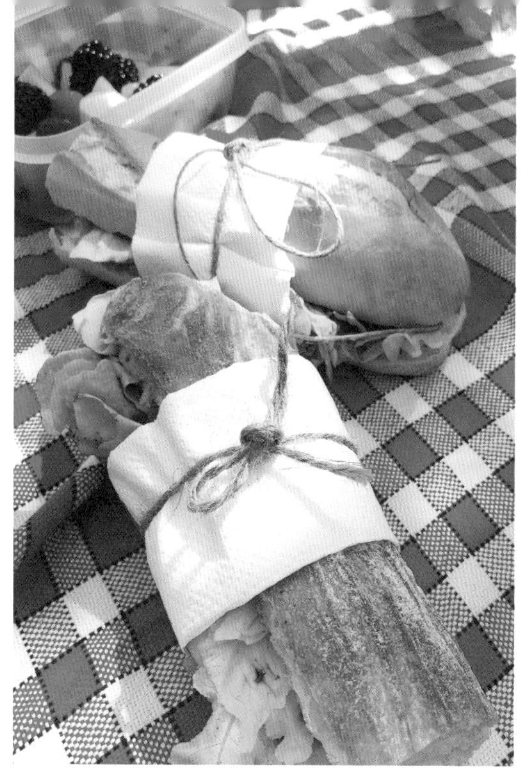

サンドイッチの極意

NO.029

フランスのサンドイッチはバゲット半分くらいの長さがあり、とにかく大きい。日本のようにやわらかいパンではないので、食べごたえはあるけれど顎が疲れます。具材のいちばん人気は、「ハム＆バター」。フランス人は加熱したJambon（ジャンボン） blanc（ブラン）（白ハム）が大好物。豚のもも肉からつくられたハムで、しっとりやわらかくて絶品です。フランスに来たら、この白ハムはぜひ食べてもらいたいもののひとつ。精肉店で好みの厚さに切ってもらいます。その白ハムとバターの相性が最高なのですが、重要なのはバターは塗るのではなく、切ってはさむこと。ちょっと厚めがおいしい。私もフランス生活が長くなるにつれフランス流サンドイッチが当たり前になっていて、気づくと“ゴージャス”なものができ上がり、我ながら苦笑してしまいます。「白ハム＆バター＆コンテチーズ」が好みです。

おおらかに育てるのがフランス流　NO.030

百花繚乱のこの季節、風にのってたゆたう甘い香りナンバーワンは藤の花。日本で藤といえば、神社や日本庭園の美しく整えられた藤棚のイメージが強かったので、南仏ではじめて見た時は大仰天。自由すぎる！ 大木からつるが好き勝手にのびて、電柱や近くの木にもからまり花を咲かせています。

人気の庭木で、4月上旬から中旬にかけて、かなり多くの家で石垣や壁にはわせていい香りを放っています。太陽が好きな植物だから、南仏では文句なしにすくすくと育ちます。苗の販売サイトを見ると、日本の藤と中国の藤の品種もどうやら人気のよう。

2週間ほど遅れて、これまたいい香りのクリーム色の似た花が咲きはじめますが、こちらはアカシアの花。藤の花言葉は「大切な友情」、アカシアの白花も「友情」。友情も、剪定などしないで、のびのびおおらかに育てたいものです。

セザンヌが愛した白い岩山

NO.031

エクス・アン・プロヴァンスの町を歩いていると、ふとした瞬間、小径から白い山、サント・ヴィクトワールが見えます。エクスに住んでいた時は、この瞬間が好きでした。その山姿はいつどの角度から見ても堂々とエネルギーに満ちていて、それでいてそこだけ静寂が漂っているよう。

画家セザンヌが87枚の作品に残した山。石灰岩の塊で、白い岩肌は朝日にあたる時間ならやさしい曙色、夕方には燃えるようなオレンジ色、真昼には太陽の光線を吸収し、真っ白に輝きます。標高は1011mとさほど高い山ではないけれど、その存在感たるやすさまじい。

エクスを旅することがあったら、ぜひ近くまで行ってみてください。バスでふもとの村ル・トロネまでは20分ほど。悠々とした美しい山の姿を眺めるだけでなく、ハイキングすることもできます。歩くなら暑い真夏より、春か秋がおすすめです。

プロヴァンスの伝統パン

NO.032

中世の末頃からこの地で食べられているパン、それがフーガス。現在は南仏のどのパン屋でも年中焼いていますが、昔はフーガスといえば白い良質の小麦でつくる高級パンで、クリスマスイブのデザートや年明けのエピファニー（公現祭）の日に食べる特別なパンだったそうです。

形が特徴的なので、ブランジュリーに行けばすぐわかります。オーバル形で穴が開いています。プレーン以外にいろんなバリエーションがあり、ハーブ、オリーブ、ベーコンが入ったタイプが一般的。

惣菜パンのフーガスとは別に、カマルグの町エグ・モルトならではのフーガスもあります。こちらはオレンジフラワーウォーターの香りがして、ふわふわの食感。表面に砂糖とバターがたっぷりかかったおやつパンで、四角形で厚みがあります。カマルグに行ったら必ず買って帰ります。

ショコラを食べる日

NO.033

キリストが死から復活した奇跡を祝う日（復活祭）を、英語ではイースター、フランス語ではPâques（パック）といいます。春分（3月21日）後に最初に迎える満月の次の日曜日で、毎年変動します。フランスでも復活祭は大きな行事ですが、信仰心の深いキリスト信者が減っている昨今では、一般的にはショコラを食べる日と化しています。

もとは「復活」「誕生」を意味するシンボルである卵を贈る習慣があったそうですが、現代は卵そのものではなく、ショコラ。卵形だけでなく、ウサギ形も人気です。ウサギは繁殖力が強く多産なため「生命力」の象徴なのだそう。復活祭の前は、スーパーもパティスリーもショコラだらけになります。フランス人のチョコ好きは筋金入り。子どもたちは、チョコレートを庭などに隠して探す遊び「エッグハント」で大興奮。ただ南仏はこの時期はもう気温が高いので、庭に隠すなら早く見つけてもらわなくちゃ。Joyeuses Pâques（ジョワイユーズ パック）！（復活祭おめでとう！）

シストロン名物の“春の味”

NO.034

春の訪れを意味する復活祭を祝う食卓には、ある料理が欠かせません。復活祭翌日の月曜日（この日も祝日）に、救済のシンボルである仔羊を食べる習慣があるのです。仔羊のもも肉、Gigot d’agneau（ジゴダニョ）をハーブとにんにくとともにじっくりバラ色にロティ（ロースト）したものを、家族で切り分けていただくのが伝統です。仔羊は季節にかかわらず年中食べられますが、“春の味”といわれるのはそのためなのです。

プロヴァンスっ子は、この日の仔羊は奮発してシストロン産の極上ラムを選びます。IGP（地理的表示保護）とラベル・ルージュ認証を得たシストロンの仔羊は、脂肪が少なめでやわらかい食感。最低60日は母乳で育てられ、半年はアルプス山間部の上質な草のある牧草地に放牧されて育てられます。仔羊は羊と違い、クセのない味わい。南仏を代表するスペシャリテです。メイン料理で出すレストランも多いので、南仏を旅する時は、ぜひ一度食べてみてください。

掘り出しものを探しに

NO.035

リル・シュル・ラ・ソルグは、パリに次ぐフランス第二のアンティークの町。毎週日曜日には川沿いのキャトル・オタージュ通りでアンティーク市が開かれます。売られているのはお皿やグラス、カトラリーなどのテーブルウェアから、リネン類、ブローチや指輪などのジュエリー、絵画、イスやテーブル、タンスといった大きなものまで多岐にわたります。のみの市のようなガラクタではなく、といって骨董（アンティーク）ほど高価ではないもの。このような古道具をブロカントと呼びます。そのため、正式には「ブロカント市」。値段も手頃で、普段の暮らしのなかで使えるものが多く、むずかしい知識抜きに楽しめます。

また、毎年「国際アンティークフェア」が、復活祭と8月か秋の2回開かれます。個人向けのフェアなので、入場料もなく、プロ向けとは違って殺気だっていないのがいい。開催場所は、ゴティエ公園など。ゆるくぶらぶら。掘り出しものを求めて、今年もいざ！

ピカソが陶器に出会った町

NO.036

南仏にはアプト、オーバーニュ、ムスティエ・サント・マリーなどいくつもの陶器の町があるけれど、ピカソが陶器に出会い、夢中で作陶した場所として知られるのは、カンヌから車で20分ほどの町ヴァロリス。ピカソは絵画の作風も女性もマイブームがあるようで、そのたびごとに夢中になり、また次のブームに移っていきました。陶器もしかりで、1946年にヴァロリスを訪れた際にマドゥラ窯に出会い、その後、この窯で3000点以上の作品を生み出したそう。ヴァロリスの陶芸博物館に行くと、この天才芸術家の陶芸への熱中ぶりが垣間見られます。

陶芸博物館に隣接するチャペルには、ピカソが70歳の時に描いた壁画『戦争と平和』があります。礼拝堂の空間全体をキャンバスにしてひとつの世界をつくりました。小さな空間だけに、ピカソのメッセージを強く受け取れる感じがします。美術館の後は、ジョルジュ・クレマンソー通りに軒を連ねる陶器店を見ながら散歩を。

16世紀から愛されてきた花

NO.037

ひょろりとした茎をゆらりゆらりさせながら、穂状の花を揺らすリラの花。庭先や公園に植えられ、また野山で自生もしていますが、南仏では意外と花期が短いので、咲いている時にちゃんと愛でておかないと見逃してしまうことも。英語名のライラックよりフランス語でリラと呼ぶほうがこの花らしいと思うのは、私の勝手なリラ愛です。16世紀からフランスで栽培され、愛されてきました。白、薄いピンク、マゼンタの花色で、大きな穂状の花なのに可憐なイメージがあります。

マネもゴーギャンも花瓶にいけたリラを品のいい静物画として描いているけれど、ゴッホは大地からゴゴゴォォと音が聞こえてきそうな勢いで密生して咲く南仏のリラを、燃えるようなタッチで描いています。パリのリラのやさしい表情とは違う、みなぎる生命力を感じたのでしょうか。

ダサかわいいのが魅力

NO.038

世界中にプロヴァンス風のインテリアにあこがれる人がいるけれど、プロヴァンスの人は狙わずしてあの世界観をつくっているのがすごいといつも感心します。多くの家の窓にはコットンやリネンの白いカーテンが窓にかかっていて、その雰囲気が木枠の窓に似合ってとても素敵。古い家は、内部にも木や石などがいかされています。シンプルで、自然素材をいかした自然体のインテリア。それはいかにも、リラックスした南仏の人たちらしい住まいです。

マルシェでも、野菜やにんにくが並ぶ隣に野の花やリラの花がバケツにどさっと入って売られていたりしますが、そうした無造作な感じが、ザ・プロヴァンス。洗練とは逆、ちょっとあか抜けないところがいいのです。昔からの暮らしに根付いた美意識が生み出す魅力なのでしょう。

迷わないなんて無理

NO.039

料理をつくりたくない時やいそがしい時は、無理をしない。無理は体に悪いので、速攻、近所の精肉店へ駆け込みます。南仏ではおしゃれで高級な惣菜専門店は少なく、精肉店がTraiteur（トレトゥール）（惣菜店）を兼ねています。南仏で一般的なものとしては、レンズ豆やひよこ豆のサラダ、タコやエビのサラダ、トマトにひき肉を詰めたファルシー、ラタトゥイユ、タコのパイ、なすのオーブン焼き、カマルグ黒牛の煮込み。ラザニアやギリシャ料理のムサカもあります。

好きなものを容器につめてもらい、量り売り。加えてハム類やパテ、テリーヌなどの選択肢も豊富だから、いつも迷ってしまいます。それに精肉店で売っている昔ながらのポテトチップスもおいしいので、ついそちらにも手がのびます。フランス国内を旅する時は、惣菜店に行くとレストランでは食べられない素朴な地方のお袋の味に出会えるのでおすすめです。

目の前にあるのに、ため息

NO.040

菜の花が咲きはじめ、大地が黄色のパッチワークになると、いつも菜の花のおひたしを食べたいなぁと思うのですが、食用に売っているのは見たことがありません。フランス人は菜の花を食べないのです。あの独特の苦みが苦手なのかもしれません。栄養価が高いので動物の餌にはなっているようですが、主には菜種から油をとるために栽培されています。ヨーロッパではひまわり、オリーブに並ぶ植物油の原料です。

フランス全土で栽培されているので、この季節にドライブすると地域によっては延々と黄色の花畑が続き、思わず歓声を上げてしまうほど見事です。一度、こっそり菜の花畑のなかに入ってみたら想像以上に背が高く、小さくもない私がすっぽり隠れてしまいました。

緑黄色野菜でビタミン、ミネラル、植物繊維が豊富、美肌効果も期待できるというのに、人間の口に入らないだなんてもったいない。あざやかな黄色の海を眺めながら、今年もため息。

白からピンクに変化するわけ

NO.041

南仏とピンクフラミンゴ。ピンとこない組み合わせですが、マルセイユの隣の地域カマルグは、フラミンゴの生息地。ローヌ川が地中海に注ぐデルタ地帯で、野生のフラミンゴが約1万羽生息し、フランスで唯一巣づくりをする場所なのです。

大きな沼地がいくつもあり、350種以上の野鳥の保護地域になっています。冬には鴨だけでも約3万5000羽が羽を休めるという鳥の天国。空を飛ぶフラミンゴの群れを南仏で見られるなんて驚き！

確実にフラミンゴを見られる場所は、ポン・ド・ゴー鳥類公園。自然の沼や池で餌をついばんでいる姿が見られるはず。ちなみにフラミンゴは生まれた時は白やグレーで、ピンクの海藻やエビを食べてローズ色になるのです。寒くなると一部だけが暖かいアフリカ大陸やスペインへ渡ります。すっくと細い足で立つ姿はとてもエレガントなのに、ガァガァとダミ声なのはものすごく意外です。

美しい街並みをつくるルールとは　NO.042

南フランスの町を高台から望むと、オレンジ色の瓦屋根が密集し、自然と調和がとれていて美しい。フランス人は伝統的な街並みを守る意識が高いんだなぁと思いきや、景観に関するルールが各町で細かく決められているのです。私たちが家を購入した際は、市庁舎の都市計画課から規定書が渡され、建造物の種類や禁止条項、高さなどはもちろん、外装に関する規定も細かく記載されていました。瓦の傾斜の角度や種類、窓の材質や格子の有無、玄関ドアや鎧戸の色調と禁止の色など延々と記されています。たとえば屋根は古いプロヴァンス瓦のみが許され、勾配は25〜35%。たしかに、南仏のこの町に雪深い地方のようなトンガリ屋根がぽつんとあったら変。旧市街はプラスティック製の窓枠や電動式のシャッタータイプの雨戸も禁止。玄関ドアはニス塗り不可。守らなかった場合どうなるかといえば、工事が終わった後で「やり直し！」とお達しが出るので、おろそかにはできません。

円満の秘訣を見た

NO.043

「ア・ターブル！」。パパの声が家中に響きます。食べる時間だよ、席について、という意味。夫の両親がうちに来る時は、料理係はいつもパパ。ママンは料理が得意ではないので、結婚して50年以上パパが毎食つくり続けています。こんなカップルも、フランスでは「変」とはいわれません。

テーブルに行くと、毎回うわぁと歓声を上げてしまいます。たとえ生野菜やハム類を切っただけでも、野菜各種、ナッツ類、冷製肉料理、ソース、デザートの果物がきれいに並んでいます。やっている本人が楽しそうだし、私たちのうれしそうな顔を見てドヤッと得意満面。どんなことでも、義務だと思うと辛くなりますが、得意なことを得意な人がやったら楽しい。そしてママンは「素敵、素晴らしいわ！」と夫を手放しでほめたたえています。これも大事だなぁとこっそり観察しながら夫婦円満の秘訣を盗み見しています。

フランスの国花は神聖な花

NO.044

ゴッホもプロヴァンス時代に描いたイリス（アイリス）の花は、4月から5月にかけて咲き競います。気品ある立ち姿、目も覚めるようなあざやかな紫の花に野で出会うと、思わず背筋がのびます。

フランス人がこよなく愛する花で、じつは国花でもあるのです。イリスの花の意匠をフルール・ド・リスといいますが、フランス王家はこのマークを中世から18世紀末、共和政に変わるまでの長きにわたり、紋章や国旗に使用してきました。3枚の花びらは「知恵」「信頼」「騎士道精神」を表しているとか。ちなみにイリスという名前は、ギリシア神話の女神「イリス」にちなんだもの。一方、キリスト教ともつながりが深く、聖母マリアの象徴ともされます。ここでは3枚の花弁は三位一体を表すそう。

神聖な花として愛されてきた特別な花。工芸品や食器のなかにも、モチーフとして多く見られます。花言葉は「知恵」。

なくてはならないスパイス

NO.045

南仏旅行の際に、たぶん多くの人がおみやげに買うのがエルブ・ド・プロヴァンス。ローズマリー、タイム、マジョラム、サリエット、オレガノの5種の乾燥ハーブがブレンドされた「プロヴァンスのハーブ」です。この5種以外に、ローリエ、バジル、セージなどが入っているものも。このブレンドハーブは1910年、プロヴァンス料理の本のなかで紹介されたのが最初だそう。すでに100年以上の歴史があるのです。

たとえばラタトゥイユなどの煮込み料理にひと振りするだけで、本格的な地中海料理に仕上がってしまう、便利なスパイス。乾燥したプロヴァンスの丘のにおいが料理から漂ってきます。スーパーなら小さな瓶詰や小袋入り、マルシェなら大きな袋に入って売られていますが、香りが強いので、料理に入れる時は少しずつ香りを確認しながら。ほんの小さなひとつまみで、十分！

父のような木

NO.046

上に向かって勢いよく咲くマロニエ（西洋トチノキ）の花も好きです。ゴシックの塔のごとく、天に近づきたい、もっと高くと願っているように見える花。30mにもなるという大木で樹高が高いので、花を観察する機会はあまりないかもしれないけれど、とても美しい花なのでぜひじっくり見てほしい。花全体はピラミッド形でインパクト大、その塊は100くらいの花で成り立っていて、一つひとつの花弁にピンクや黄色の斑紋があり、めしべとおしべがニョキニョキ出ています。欧州では、大木になるので広場や街路に植えられていることが多いです。

マロニエの木を見上げると、気持ちがあたたかくなります。大きく枝を広げて木陰をつくってくれる父のような木。秋には実が頭上に落ちてくることもあって、いたずらをされているような気持ちになります。

自然のリズムで

NO.047

ザク、ザク、ザク、ザク……。スキで畑を耕す音が、リュベロン山塊に心地よく響きます。どっしりと安定感のある馬がスキを引き、盛り土を取りのぞきながら土を掘り起こしていきます。人間は後ろでスキの向きを一定に保ちながら馬の後を阿吽(あうん)の呼吸で歩いています。

馬耕は日本同様、フランスでもマイナーな忘れ去られた昔の農法ですが、プロヴァンスには今も馬耕のプロがいて、トラクターを買う資金がない小規模な農家や、有機栽培の農家などの要望に応じて、必要な時にいろんな畑で仕事をしています。

オーガニック栽培のイメージづくりと皮肉をいう人もいるけれど、トラクターにくらべて安価なうえ、微調整をしながら正確に耕せ、ガソリンも食わず、馬糞は肥料にといいことづくしだそう。春は、ぶどう畑の土を起こす大切な時期。馬がゆっくり歩を進める姿が見えると、昔の生き方やノウハウを学ぶべき時が来ているのかも、と思うのです。

南フランスのその先へ

NO.048

日本ではイタリア語呼称「コルシカ」で通っているけれど、1769年から、250年以上もフランスの島「コルス」。フランス領となった3か月後には、後のフランス皇帝ナポレオン・ボナパルトが誕生しています。南仏に住む者にとって、コルスは身近な島。マルセイユなどからフェリーが出ていて、夜、乗船すると朝には到着します。車ごと乗って、客室で寝て到着したらすぐ移動できるので、ちょっとそこまで、という気分で出かけられます。真夏は暑いので、春か初夏が気持ちいい。

2500m以上の山が連なる山岳地が島の大半ですが、リゾート気分が味わえるポルト・ヴェッキオの町（写真）なども魅力的。夜の町を歩くと、どこからともなく民族音楽のこぶしのきいた歌声が聞こえてきます。フランスともイタリアとも違う、独自の文化が島に流れています。

La saison douce

初夏

“幸せを運ぶお守り”を贈る

NO.049

5月1日は労働者の日、メーデーです。フランスでは元日とノエルに並ぶ重要な祝日ベスト3に入ります。美術館も休みのところが多く、公共交通機関のダイヤも乱れるので旅行者には要注意の日。

それと同時に、この日は大切な人にスズランを贈る「スズランの日」でもあります。起源は古く、1561年5月1日、国王シャルル9世が騎士から庭のスズランをひと枝贈られたのがはじまりだとか。感激した国王は、それ以来、5月1日には宮廷の女性たちに“幸せを運ぶお守り”としてこの花を贈ったそう。その習慣が今につながっているなんて驚きですが、それだけスズランの花には魅力があるのでしょう。この日は誰でもスズランを売ることができるので、どこの街角でもスズラン売りに出会えます。花言葉は「幸せの再来」。

カウボーイがアルルに集まる日

NO.050

メーデーの5月1日、南仏でもっともにぎやかなのは、牧童祭が行われるアルル。カマルグ中の牧童が白馬に乗って一堂に集まる特別な一日です。牧童とは、カウボーイ（フランス語でGardian）のこと。カマルグ地方は闘牛用の黒牛を育てている土地で、野外で暮らす牛たちを牧童とカマルグ馬が統制しているのです。世界最古の種といわれる白いカマルグ馬に乗った牧童たちは、じつに誇り高くかっこいい。正装した彼らが女性を伴い、颯爽と白馬に乗って続々と“カマルグの首都”アルルに列をなしてやってくる様子は、まるで歴史絵巻。小学生低学年の男の子だって、マイ白馬にまたがり、女の子を後ろに乗せて毅然と登場します。

ふたつの川にはさまれたデルタ地帯のカマルグは吹きさらしのきびしい自然環境で、苦労の多い土地。今日は彼らの晴れ舞台。プロヴァンス音楽やプロヴァンス語でのミサなどが行われます。

南仏には黄色い花が似合う

NO.051

この花がお目見えすると、いよいよ初夏がはじまる予感しかありません。目が覚めるような黄花が野や森や丘、高速道路の脇にまで咲きます。花の名前はジュネ（エニシダ）。5月中、プロヴァンスの大地を黄色に染め上げます。

近づくと、甘い芳香にめまいがしそうなほど。エンドウやスイートピーに似た花で、見るからにマメ科の花の形をしています。ヨーロッパの人たちは大昔から、この木の細い茎を束ねてホウキをつくってきました。暮らしになくてはならない植物だったのです。

リヨンやさらに北でも咲いているのを見るけれど、南仏の野生のジュネは勢いが違う！　ミモザやジュネやひまわり。南フランスには黄色の花がよく似合います。エネルギッシュで明るい太陽のような花。花言葉は「清潔」。もちろん「ホウキ」に由来した言葉ですね。

ブリコラージュでDo itマイセルフ　NO.052

Bricolage（ブリコラージュ）とは、日曜大工、修繕といった意味のフランス語なのですが、これぞフランス人の趣味の代表といってもいいくらい、皆大好き。「ムッシュ・ブリコラージュ」「ブリコ・マルシェ」などという店名で釘1本から床材、ドアまで売られている大型店が各町にひとつはあります。フランス人は堅実（ケチともいう）なので、ペンキくらい自分で塗るし、家の小さな修理なら自分でやってしまいます。隣人は、家の階段まで自作なのが大自慢。DIYが流行るずっと前から彼らは嬉々として、Do itマイセルフ！

そんな彼らなので、家具を修理するなど朝飯前。のみの市では古い金具類がいくらでも買えるし、好みの色に調合してくれるペンキ屋さんもあります。完璧でなくても、打ち捨てられていたものに命を吹き込むのは素敵なこと。節約精神とオリジナリティの追求。じつにフランス人らしい趣味なのです。わが家はレターボックスも手づくり品です。

AIX

もっとも優雅なメインストリート　NO.053

エクス・アン・プロヴァンスのロトンド噴水からのびる440mのメインストリート。このミラボー通りは、南フランス中でもっとも趣のある通りです。プラタナスが並び、初夏は新緑が気持ちいい。東端に立っているのは、15世紀に芸術を保護し、この町を文化的なプロヴァンスの首都にしたルネ王の像。手には彼がこの地に持ち込んだマスカットの房、頭にはプロヴァンス伯爵の冠を戴いています。

17世紀に町を拡張する際に、このミラボー通りと南側のブルジョワの屋敷街マザラン地区がつくられました。黄金色の地元の石でつくられたかつての個人邸宅（写真左側）はファサードの一つひとつに趣向が凝らされています。かたや反対の北側は旧市街で、日当たりのいいこちら側にはカフェが並んでいます。旧市街に入れば、入り組んだ古い街並み。路地裏に紛れこんで、セザンヌが暮らしたアパルトマンを見つけたり、市庁舎広場の花市場でかわいいブーケを買ってみたり。この町を散策していると、時間を忘れてしまいます。

旬のいちごは4通りの食べ方で　NO.054

4月下旬から6月上旬まで、南仏はいちご一色。プロヴァンスの町カルパントラが有名な産地です。大きさが不ぞろいなのがフランス的。大粒のほうが甘くておいしいので、大きいのがたくさん入っていそうなものを選びます。新鮮さの証は、そり返った葉。

私のいちごの楽しみ方は、①そのまま食べる、②牛乳と砂糖と一緒につぶして食べる、③ほかの果物と一緒にミキサーでジュースにする、④食後のデザートとしていちごのフルーツサラダに。④は前日の夜に仕込んでおいてお客様の朝食にも出す定番です。つくり方は簡単。食べやすい大きさにカットしたいちごをボウルに入れ、砂糖とレモン汁を適量、すりおろしたレモンの皮とミントの葉を少々入れ、混ぜて冷蔵庫で30分以上冷やすだけ。きれいな器に入れれば立派なデザート。アイスに添えてもいいでしょう。食べきれなかったいちごは洗ってカットし、冷凍保存して③のジュースに。

ショートケーキに似たお菓子

NO.055

いちごの季節には、もうひとつのお楽しみがあります。それは、フレジエ。この時期だけ、パティスリーに並ぶいちごのケーキです。フランスには日本のショートケーキのようなふわふわした食感のお菓子はあまりないので、それに近いフレジエがとても待ちどおしいのです。

上下のジェノワーズ（スポンジ生地）の間に丸ごといちごがぎっちり詰まっていて、ホイップクリームではなく、カスタードクリームにバターを加えた濃厚なムースリーヌクリームがたっぷり。そして側面には、半分に切ったいちごの断面が見えるように並べられているのが特徴です。いちごの甘酸っぱさと、まったりとしたクリームの相性が絶妙で、いくらでも食べられます。

フランスでは国産いちごが冬に出まわることはありません。だからこそ、今か今かと季節の訪れを皆が待ちわびるのでしょう。

20世紀の巨匠が眠る鷲ノ巣村

NO.056

ニースの西にあるサン・ポール・ド・ヴァンスは、丘の上に築かれた中世の鷲ノ巣村。ギャラリーがひしめく村の南端に墓地があり、ここにロシア人画家マルク・シャガールが眠っています。ロシア（現ベラルーシ）生まれのユダヤ人であるこの画家は、ふたつの世界大戦とロシア革命をくぐり抜け、戦火と迫害が繰り返されるなかフランスへ移住。ベルリンやアメリカへの亡命を経て、パリ解放の後に再びフランスに戻り、南仏を終（つい）のすみかにしました。ヴァンス、そしてサン・ポール・ド・ヴァンスに暮らし、97歳で生涯を閉じるまで、この地で故郷への愛と聖なる世界を描き続けました。

ニースには86歳の誕生日に開館したシャガール美術館があり、サン・ポールのマーグ財団美術館にも作品が所蔵されています。第一次世界大戦後、シャガールやピカソら芸術家が、食事のお礼に作品を残したレストランLa Colombe d'Or（ラ コロンブ ドール）は村の入り口にあります。

もっとも熱いスポーツ

NO.057

パリジャンのお客様が、夫と近所の公園でペタンクをして帰ってきた時、真顔で「ブラジルでサッカーするのと同じくらい緊張した!」といって大笑いしたことがあるけれど、実際、ペタンクは南フランスではかなり熱いスポーツなのです。2チームに分かれ、鉄の球ブールを標的に近づけたほうが勝ちという簡単なルールなので初心者でも子どもでもできますが、敵の球を弾き出す高度なテクニックを持つ強者もいます。空き地があればどこでもできるのに、わざわざ家の庭にペタンク場をつくる人も。気楽な遊びのように見えるけれど、いやいやどうして、目は真剣。標的との距離もきっちりメジャーで測ります。普段は雑なのに、ペタンクとなると話は別。

1910年に、海辺の町ラ・シオタで生まれたこのスポーツ、競技人口は意外に多く、ワールドカップもあるほど。南仏ではヴァカンスや結婚式など人が集まる場で、ペタンク時間はお約束。

南仏の男たちの飲みもの

NO.058

夏、南仏のカフェやバーに行くと、男たちが白濁したミルキーな黄色い飲みものを飲んでいます。これこそがマルセイユの名高いアペリティフ、パスティス。地中海の香辛料アニス（八角）からつくられる香油に、リコリス（甘草）やフェンネル、カルダモンその他、多くのハーブや香辛料が入ったアニス酒です。

習慣性があるニガヨモギを使ったアブサンの製造が1915年に禁止された後、代替え品としてポール・リカール社がパスティス第1号の「Ricard（リカール）」を販売。アルコール度数45％ほどの琥珀色のリキュールで、水で薄めると白濁します。レシピは企業秘密だそう。南仏っ子秘伝のおいしくつくる秘訣は、4℃程度に冷やした水で4～6倍に割り、氷は最後に入れること！

君もコクリコ、私もコクリコ

NO.059

コクリコ（ひなげし）が咲く野に立つと、走り出したくなるのはなぜでしょう。印象派の画家モネが描いたひなげしの絵のなかに、まぎれ込んだような気持ちになる風景です。コクリコという名前も、一度聞いたら忘れられない音の響き。歌人の与謝野晶子は渡仏した際、5月のフランスの野に燃えるように咲く野生のひなげしの花を見て、短歌を詠みました。「ああ皐月　仏蘭西(ふらんす)の野は火の色す　君も雛罌粟(こくりこ)　われも雛罌粟(こくりこ)」（5月のフランスの野は火のように赤い。あなたもフランスに立つ一本のコクリコ、私もまた）。反復するコクリコというフランス語の音が、印象に残ります。

すっとのびた細い茎に、紙のように薄くふんわりとした赤い花。野で風に揺られている花姿はいかにも心地よさそうで、見ているこちらまでふわふわ体が軽くなっていくようです。軽やかなのに、情熱的な初夏の花。

優雅なスターの社交場 NO.060

5月中旬はカンヌで国際映画祭が開催され、南仏は一気に華やぎます。コート・ダジュールがラグジュアリーな場所としての面目躍如を果たす時。港には豪華クルーザーが並び、高級ホテルの室料も跳ね上がります。1913年に開業した壮麗なカールトンホテル（写真）は、第二次世界大戦中、アメリカのジャーナリストが軍司令官に保護を要請したほど、カンヌのシンボル的存在でした。

このあたりは18世紀後半から欧州の上流階級層の避寒地として発展し、1919年にはニースに映画スタジオ「ラ・ヴィクトリーヌ」ができ、世界中の映画人が往来し、各国の知識階級や文化人が住むコスモポリタンでした。そして第二次世界大戦後にカンヌで映画祭がはじまり、スターの社交場になりました。世界の一流俳優が集まり、優雅な空気に包まれたこの時期のカンヌに行くと、なぜだか私でも気取ってシャンパンなど飲みたくなるのです。

ぜいたくな木漏れ日空間

NO.061

木々の間からこぼれ落ちるように差しこむ木漏れ日空間は、どんな豪華な場所より心地いい。南フランスの初夏から初秋にかけては、その幸福感がどこででも味わえます。レストランのテラス席が人気なのも、皆、木漏れ日の下で食事をしたいから。風で葉が揺れると、光もきらきらと揺れてとてもきれいです。

南仏を車で走っていると、どこまでも続くプラタナスの並木がよくあります。それはまるで、木漏れ日のトンネル。プラタナスは葉の色が明るく、しかも大木だから、理想的な木漏れ日をつくってくれるのです。古いシャトーや屋敷のプロムナード、街のメインストリートには樹齢数百年のプラタナスの並木があることが多く、暑いこの地域では、自然の日よけシェードとして長年愛されてきたことがわかります。十数年前から病原菌による枯死被害が増え、別の丈夫な木に植え替えられてしまった場所も多いのが残念です。

人生のバラを摘むなら、今

NO.062

散歩道で摘んだ、可憐な野バラ。薄い花びらが朝の光に透けてあまりに美しかったから、思わず一輪いただきました。

5月、バラの花が咲きはじめると、あるフランスの詩を思い出します。1500年代に生きたルネサンス期の詩人、ピエール・ド・ロンサールの一節。

「生きよ、私を信じるなら、明日を待たず、今日から摘むがいい、人生のバラを」（抜粋）

愛も夢も、いつかといっていたら人生は終わってしまいます。枯れるまで大切にとっておいても、香りも美しさも失われたそのバラを手に、ただ後悔するだけ。バラはまたつぼみをつけます。おそれずに摘んでいいのです。その香りを胸いっぱいに吸い込んで、今日という日を生きましょう。

季節限定のフロマージュ

NO.063

フロマージュリーの店頭の黒板に「初モノ到来！」の文字を見たら、心躍らずにはいられません。今日の食後のデザートは、Brousse du（ブルース デュ）Rove（ローブ）。これはプロヴァンス地方の原種山羊「ローブ」のフレッシュミルクからつくられたチーズ。AOP（原産地呼称保護）にも認証されたチーズなのですが、チーズとは思えない軽い味わいです。

円筒形の型に入った中身をするりと器に取り出していただくと、新鮮な生乳の甘い味わいや草の香りが口のなかで広がります。生産後5日ほどしか持たないので、こればかりは南仏でしか食べられません。しかも山羊が草原にいる5月から9月までの期間限定。コンフィチュールを添えて食べるか、オリーブオイルと塩胡椒で食べるか。私はラベンダーの蜂蜜をたっぷりのせて食べるのが好きです。

渡り鳥と過ごす幸せな時間

NO.064

キィキィと鳴きながら空を猛スピードで回旋するのは、鳥類のなかで最速といわれるアマツバメたち。飛ぶことが楽しくてしかたないのが伝わってきます。彼らは毎年、春になるとアフリカから南仏に渡り、軒下に巣をつくり、夏は涼しいアルプスで過ごします。

夕暮れ時は、何百というツバメが低空飛行で飛びまわります。ツバメの遊び納めの時間は、私の仕事納めの時間。テラスに出て、頭のすぐ上を羽音をたてて飛んでいく姿を眺めていると、彼らと自分が一体化していくような感覚に。そして「あるがままに 自由に 生きればいいんだよ」。そんなメッセージを送ってくれている感じがします。一番星が出る頃には皆、家路につき、夜のとばりがおりてきます。真夏が来たら、彼らは北へ旅立っていきますが、それまでは、幸せな夕刻の時間を一緒に過ごします。

バラ色のワインが飲みたくなったら　NO.065

ロゼワインが飲みたくなったら、それは体内時計が夏の光に反応している証拠！ 素直に体の声に耳を傾け、冷えたロゼを1杯いただきましょう。それが南仏流・夏のはじまり。

カフェの安いロゼワインなら、氷を入れて冷やして飲むのが気分。オリーブなどをつまみながら、なかなか沈まない太陽の恩恵に与(あずか)って、のんびりと。プロヴァンスにも赤や白で名高いワイン産地があるけれど、生産量が多いのは圧倒的に辛口のロゼ。だから夏がくると、スーパーのワイン売り場にはロゼのボトルがずらり。来客の多いヴァカンス期ともなれば、安い箱ワインが売れ筋です。

肉体労働が減りデスクワークが増えた現代、高カロリーの昔ながらのフランス料理は重すぎて、料理はどんどん軽くなっています。それに合わせてワインも軽く、というわけでロゼの消費はフランス全国で増え、質の向上にもつながっています。

夏に似合う泡ガラス

NO.066

最初に手にしたのはいつだったでしょう。影に映る泡があまりに美しくて、透明のグラスを2個購入し、その後、キャンドルスタンドを手に入れました。ぽってりとした厚いガラスのなかに無数の大小の泡が封じ込められ、それはまるで海のなかの景色のよう。すべすべした口あたりがなんとも心地よく、クリスタルや繊細なアンティークグラスとは違った、素朴な職人さんの手のぬくもりを感じます。それがビオットという南仏の小さな村でつくられていると知ったのは、ずいぶん後になってからのことでした。

ビオットは、アンティーブから車で20分ほどの小さな鷲ノ巣村。ガラス工芸がはじまったのは意外と新しく、1950年代だそう。現在、村のふもとにあるいくつかのガラス工房では、息を吹き込み、鉄の棒から切り離す様子など一連の工程を見学することもできます。手づくりなので、ひとつとして同じものがありません。

石壁に咲く名もない花

NO.067

南仏で暮らし、ずっと名前がわからなかった花がありました。鷲ノ巣村ゴルドなどにある朽ちかけた石壁からにょきにょきと生えているピンクの草花。夏の数か月、いつも元気に上を向いて咲いています。その野性的な美しさに心奪われるも名を知る人は皆無で、しかたなく「石壁の花」と呼んでいました。ある日、書店で「リュベロンの花」という図鑑を見つけ、もしやと思って手にしたら、長年の思い人を見つけたのです。名前はCentranthe rouge（サントラント ルージュ）。辞書を引いたら、ベニカノコソウ。え、なんだ、日本にもある花じゃない！

南仏の植物はたくましい。根を下へのばして水を探し、暑さなど知らぬ顔で花を咲かせ、実をつけます。花屋さんでちやほやされることもないのに、幸せそう。美しさと強さはいつも隣り合わせです。

花を食べるという非日常

NO.068

南仏料理の代表ラタトゥイユになくてはならない野菜といえば、トマトとなすとズッキーニ。これを「南仏の夏野菜3兄弟」と勝手に呼んでいるのですが、輝くような黄色の花をつけるズッキーニはかわいい末っ子。アメリカからプロヴァンスに渡来したのは19世紀のことでした。大きな花は肉詰めにし、小さめの花は小麦粉、卵、牛乳を混ぜた生地につけて揚げます。あるいはオリーブオイルでカリッと焼き、塩と胡椒をぱらりとかけるだけでも美味。

花を食べるといえば、同じ頃、エディブルフラワーとして、ナスタチウムの可憐な花もときどきマルシェにお目見えします。こちらはビタミンCや鉄分を含む立派なハーブ。オレンジと黄色の花をサラダに混ぜるだけで、食卓がぱっと華やかになります。簡単に育てられるので、ベランダ栽培にもぴったり。実をつける前の花を食べるというのはぜいたくで、非日常な気分がするものです。

セレブが集まる国になったわけ　NO.069

世界三大レースのひとつ、F-1のモナコ・グランプリが開催されるのは5月後半。モナコの曲がりくねった公道にコースが特設されます。モナコは人口4万人弱、面積はわずか2㎢。1297年以来、断続的にグリマルディ家がこの地を統治しています。

モナコ公国は現在、億万長者が多い国ですが、じつは19世紀中頃には破産寸前でした。ターニングポイントは1861年。統治下にあったマントンらの人々がモナコの重税に反乱を起こし、フランスの一部になることが決定。フランス・モナコ保護友好条約が結ばれ、フランスはマントンなどを手に入れ、モナコは90%以上の領土を失いました。売却した資金をもとに豪奢なカジノを建設し、その地をモンテカルロと名づけてイメージを一新、その後、課税を廃止するほど裕福な国になりました。

起源はインド産の布

NO.070

黄色や赤、青などの色あざやかなコットン生地。私もシャツやワンピースなどを持っていますが、明るい配色のプロヴァンス・プリントは気分を明るくしてくれます。この布の起源は、16世紀末にマルセイユの港に持ち込まれたインド製のコットン生地。そのため「アンディエンヌ（インドの布）」と呼ばれていました。パリに伝わるとルイ14世治世のヴェルサイユ宮殿で人気を博し、女性はドレスやスカート、コサージュを、男性はベストや部屋着をつくったそう。今も昔も、みんな、新しいものに目がないのは同じです。

18世紀には自由にアンディエンヌをつくれる許可が出て、花やハーブの独自のモチーフが登場。現在はSouleïado（ソレイアード）、Les Olivades（レゾリヴァード）などのブランドが伝統を受け継いでいます。

“ジャスミン”で壁面緑化

NO.071

南フランス中の空気がジャスミンの香りに包まれてくるのが、5月中頃。庭やファサードに植えている家が多いので、町を歩いていると、どこからともなく甘い香りが漂ってきます。わが家の壁にもジャスミン。冬の低温にも強いスタージャスミンを選んだところ、あっという間に根を深くのばし、自力で壁を登り、ぐんぐん成長を続けています。というより成長しすぎて目下、迷走中。常緑なので、冬でも緑が保たれ、気に入っています。

ところがこのスタージャスミンは、ジャスミンではなくテイカカズラの仲間なのだそう。ジャスミンのように甘くていい香りがするので、フランスでもジャスミンの名前で通っています。

その他、スタージャスミンと同じく南仏で人気のつる性植物は、モッコウバラ、藤、ノウゼンカズラ、スイカズラ、つるバラ、ブーゲンビリアなど。壁面を緑化するだけで、見た目も涼やかです。

新にんにくと新玉ねぎがあれば　NO.072

プロヴァンスはにんにく天国。5月中旬になると新にんにくが出はじめます。切るとじゅわっとジューシーで、乾燥ものより断然香りがいい。その後、10個くらいを束ねた乾燥にんにくが出ると、ドラキュラよけもかねてキッチンにぶら下げておきます。半年以上持つといわれますが、あっという間になくなります。そのくらい、プロヴァンス料理はにんにくが必須。

一方、新玉ねぎもこの季節。小ぶりできれいな緑の葉がついたものは、フランスではオニオン・セヴェットといい、私はこれを生でサラダにしたものが大好物。マルシェで見つからない時は、生の紫玉ねぎで代用。夫には「そんなに毎日食べなくても……」といわれるのですが、健康のために無理して食べているわけではなく、ただただ好き！ 辛みと甘みがやみつきで、夏の間は毎日、私の皿の上にはマイ・セヴェットが丸ごと1個のっています。

哀愁のある旋律とともに

NO.073

アルルから車で一本道を南下すると、地中海で行き止まり。そこがフランス最大の湿地帯カマルグの町、サント・マリー・ド・ラ・メールです。広い海と水平線が続くこの地には、ひとつの伝説があります。キリスト磔刑後、サロメとヤコベ、マグダラのマリアがエルサレムからこの町に小舟で漂着したというもの。同行の従者サラは褐色の肌だったことから、ロマの守護聖人となりました。中世に建造されたサント・マリー・ド・ラ・メール教会には聖人サラが祀られ、ロマの巡礼の聖地として篤く信仰されています。

毎年5月24日、25日は巡礼祭。聖人サラの像が正装をして海まで練り歩きます。世界中からロマが集まり、町中で音楽やフラメンコが繰り広げられるので、音楽が好きな人にはたまりません。レストランで食事をしていても、隣の席のロマが突然ギターを弾き、歌いはじめることも。哀愁のある独特の旋律が、胸に沁み入ります。

かなり大切な、母の日

NO.074

フランスの母の日は、5月の最終日曜日。子どもたちがママンに愛を伝える大切な日です。さて、南仏のママとは、どんなママたちなのでしょうか？ わが家や友人知人の家族を見渡すと、南仏の家族は母親が中心で家庭内の実権を握っているケースが多く、子どもには惜しみなく愛を注ぐママンの姿が浮かび上がります。そしてやっぱり息子には特別甘い。この傾向は、イタリアを含む地中海圏の伝統なのでしょう。そしてあくまで一般的な話ですが、結婚しても美しさを保つ努力をフランスのママンは怠らない印象。

母の日は、小さな子どもならママの絵を描いて贈ったり、大人になっても近くに住んでいれば一緒に食事をして花などを贈ります。母の日の前になると町中の店のプレゼント商戦が過熱。ママン、ジュテームなどの文言が入ったエプロンやマグカップ、キャンドルなどが売られます。ちなみに父の日は、6月の第3日曜日。こちらも、大切な日。

アルピーユの秘密の湖で

NO.075

観光客でいっぱいのサン・レミ・ド・プロヴァンスと目と鼻の先に、知る人ぞ知る湖、Lac de Peïroou（ペイル湖）があります。1.5km手前から車での侵入は禁止されているため、緩やかながら坂道を20分ほど歩きます。眼下にぽっかりと浮かぶような緑色の湖。まるで人の目から隠された聖域のように木々で覆われ、小鳥の澄んだ歌声がアルピーユの山間にこだまする完璧な静寂。見上げれば、鷹が夏の午後の高い空を悠々と舞い、寝そべる私たち人間を興味なさげに眺めています。静けさを破るのは、嬉々として泳ぐ犬のはしゃぎ声だけ。

7月になると気温が一段階上がるので、ここにピクニックに来るのは風が心地いい4月から6月上旬まで、あるいは初秋。こんな小さな湖畔で、ありのままのプロヴァンスのよさを満喫しながらぼーっとするのは至福の時間です。近くに店はないので、飲みものやサンドイッチなどは必携です。

失敗知らずの自家製ケーキ

NO.076

いちごの旬が過ぎると、次はさくらんぼの季節。産地のリュベロン地方では、真っ赤なさくらんぼの実が鈴なりです。マルシェでもどーんと山積みに。好きなだけ鷲づかみして袋に入れて、量り売り。野菜や果物は、日本より安い南仏です。大粒で皮にハリがあって、つやつやしたもの、真っ赤に熟したものが甘くておいしい。旬のピークの時に気がすむまで味わっておかなければ。

わが家では、さくらんぼはそのまま生で食べるか、さくらんぼとの相性が最高の焼き菓子クラフティをつくります。小麦粉、卵、牛乳、バター、砂糖、ベーキングパウダー、バニラエッセンスを混ぜて、さくらんぼを並べた型に流し込みオーブンで焼くだけ。失敗知らずのこの素朴な自家製ケーキは、6月だけのお楽しみ！

友情を育むアペロ時間

NO.077

フランス人にとってアペリティフ（略してアペロ）は、単なる食前酒を超えた人生に必須の習慣なのですが、夏はさらにアペロ時間が増える南仏です。日が長くなり、気分は開放的になり、家に人を呼んだり呼ばれたりする機会も増えます。外に出たついでにカフェに寄ってグラスワインやビールを1杯飲んで帰ろう、という気にもなります。1杯飲みながら、近況を友達に話したり、ひとりでぼーっとしたり。一日の緊張をほぐして、素の自分に戻る時間。リラックスして生きるための潤滑油といえます。

気のおけない友人が家に来る時などは、夕食を兼ねたアペリティフ・ディナトワール。つまみはポテチやハムやディップ類、野菜、チーズなど簡単なものを。食事に招くとなればそれなりの料理を準備しなくてはいけないけれど、アペロならノーストレス。大切なのは、誘われたら誘い返すのがルール。これがフランス流の友情を育む術です。

最後まで色香を失わない

NO.078

フランス人はシャクヤクが好きなんだな、とわかるのは、5月末頃からかなり長い間、花屋さんに並ぶから。マルシェでも、ピンクか白のつぼみの状態のものが5本くらいまとめて紙でくるりと巻かれ、あっという間に売れていきます。

つぼみから少しずつ開花して、枯れてハラハラと花びらが落ちる瞬間まで美しい花。最後まで華やかで、色香があり、エレガント。花瓶に入れるだけで絵になり、水切りしながら、毎日、ほほぅと思いながら観察しています。最後は花びらがしわしわになってきて、茶色いシミができてくるけれど、その雰囲気もなんとも色っぽいと感じます。はつらつとした若々しい花と比較して、どちらのほうが美しいとはいえません。そんな成熟した美に惹かれるのは、自分が老いてきたからでしょうか。

羊たちの大移動

NO.079

少し前から日陰を選んで歩くようになりました。今年も夏がやってきたのです。この地の日差しは強烈で雨も少ないので草も生えず、酷暑が到来する前に、羊たちは草のあるアルプスなどの山へ移動します。移牧はプロヴァンス地方や地中海沿岸の国々で、古代から続く牧畜の形。羊飼いは誘導役に犬や山羊を伴い、荷物持ちにロバを従えて旅立ちます。現代はトラックで移動する牧畜家も多いですが、距離によっては徒歩で移動する人も。初夏や秋、移動途中の羊飼い御一行様に出会うこともしばしば。そんな時は、皆文句もいわず車を止めて、通りすぎるのを見届けてから発進します。

サン・レミ・ド・プロヴァンスでは5月末か6月頭に移牧祭が開催され、アルプスに行く前に約3000頭の羊や山羊が昔の街道を往復します。現代っ子の羊たちは、復路には道路脇の草を食べだしたり、ゼーゼー息が上がっていたり。そんな様子もまた楽しい。

一日の終わりは川っぺりで　NO.080

うわー、つ、つ、冷たい！ 思わず声が出るほど冷えた水。ここはわが家から歩いて1分のソルグ川。夏の間は一日の終わりをこの川っぺりで過ごすのが習慣です。8km上流の泉、フォンテーヌ・ド・ヴォークリューズの巨岩の底から湧き出たばかりの清流だから、水は透明で冷たい。年中、水温は変わらず14℃ほど。足を浸して、体の芯までじわじわと冷やします。10分もいれば、体内に氷を抱えているよう。

水がとめどなく流れる風景は、毎日見ても飽きることがありません。滞らず、前へ前へと流れ続ける水。フォンテーヌ・ド・ヴォークリューズの湧水量は世界有数らしく、その流れは町まで下りてきても勢いがあり、よどみなく流れるさまは気持ちがいいほど。失敗も嫌なことも、一日の終わりに川に流してしまう。海と違って寄せてかえってくることもありません。精神衛生にも、川は最高です。

忘れがたい、ある花の香り

NO.081

黄色い小花が星降るように下向きに咲く西洋菩提樹（セイヨウシナノキ）の花、ティユル。英語ではリンデンブロッサム。この香りが最初に漂ってくるのは、なぜか、いつも夜。香水のような芳しい甘い香りが夜風にのって部屋に届くと、6月が来たんだな、いよいよ真夏が近いなと実感します。甘さのなかに緑のにおいが濃厚で、一度嗅いだら忘れることができない香り。ヨーロッパ中の公園や街路に植えられており、なかでもパリのチュイルリー公園の並木が有名です。南仏も、この季節はどの町もティユルの香りに包まれます。見上げれば、満開の花。花自体は地味なのに、誰もが振り向いて「この香り、何？」と話しています。

マルシェでは乾燥させた花と苞葉が売られます。ストレスや不眠に効果が期待できるそうで、ハーブティーとして飲まれます。花言葉は「夫婦愛」。葉がハート形だからでしょう。

ル・カストレの丘で

NO.082

はじめてル・カストレの村に来たのは、さわやかな風が吹く初夏の日でした。マルセイユから高速道路を走ると、左手に高くそびえる鷲ノ巣村。そびえるというのはちょっと大げさで、かわいい小鳥の巣のような、そんな印象。向かい側の低い丘にラ・カディエール・ダジュールの村があり、その先に青く輝く地中海が広がります。まわりはバンドールのぶどう畑とオリーブ畑、ところどころにニョキニョキ生える糸杉がアクセント。

フランスではじめて長期滞在したのが、この村でした。その時にはまさかその後、こんなに長く南仏に暮らすことになるとは思いもしなかったから、人生っておもしろい。食品店もバス停もなくおそろしく不便だったけれど、最初の入り口がこの村だったから今私はここにいると確信できます。辺鄙なのに豊かな暮らし。当時の私にはすべてが未知の世界でした。自分もこんなところで暮らしてみたい。夢の世界に足を踏み入れてしまった40歳の初夏でした。

森でハーブを摘んで

NO.083

夫が森で摘んでくるタイムの束の香りをかぐと、プロヴァンスの昔の暮らしのイメージが頭のなかに広がります。古代から続く、この地の森のにおい。森というと、シダが生えているような湿度のある空気を想像するけれど、南フランスの森はかなり違って、Garrigue（ガリッグ）と呼ばれる石灰岩質の乾燥地帯です。

ガリッグには野生のハーブがいっぱい。それをいただいて香りのいい料理をつくるのは、今も昔も変わりません。パニエ（バスケット）に入れて、しばしキッチンやリビングにおいて香りを楽しみます。

テラスの窓辺にはセージを植えているので、私は夏の朝、白湯（さゆ）に一葉入れるのが日課。ハーブティーなんていうほどのものではなく、ただひと葉を入れるだけ。それだけでセージの香りがカップから立ち込めます。プロヴァンスには「セージがある家は医者いらず」という格言があります。

週末はヴィド・グルニエへ　NO.084

のみの市はアンティーク市とは別物。Vide grenier（ヴィド グルニエ）ともいい、つまりはガレージセールなのです。家の不用品を放出するセールなので、車の古い部品から体重計、洋服、缶詰や野菜まで売っています。古い食器や家具もあり、そのなかに素敵なアンティークがまぎれていることもありますが、砂漠のなかで金を探すようなもの。早朝に出かけ、目を光らせて何度か往復すると、きらりと輝くものにめぐりあうこともあります。

アンティーク市（骨董市）やブロカント市（古道具市）はすでに選りすぐった価値あるものが並んでいますが、のみの市はガラクタのなかからお宝を探し出す楽しさがあります。何ひとつ見つからない日もあるけれど、ひとつでも好きなものや、暮らしに必要なものが見つかれば、喜びもひとしおです。年中、定期的に開催されているのみの市も多いですが、初夏から真夏にかけての週末は不定期に開かれる市が多く、狙い目です。

救世主サラダ、ニソワーズ

NO.085

夏になると、日本人はそうめんが食べたくなるように、フランス人はサラダが食べたくなるようです。というより、それ以上にさっぱりした料理がないといえるかもしれません。ただしフランスでサラダという場合、付け合わせのグリーンサラダではなく、大皿に盛られた栄養たっぷりなサラダ。あたたかい山羊のチーズのトーストや鴨肉、フォアグラ、スモークサーモン、チキンフライなどがドンとのっていて、そのひと皿だけで十分。食欲がない時にはむしろ苦行に近い。

そのなかで、南仏にはニース風サラダという救世主があります。これは日本でもおなじみの有名料理だけれど、ツナとゆで卵以外はすべて野菜の地中海風さっぱり系サラダ。本場の材料は、レタス、トマト、アンチョビ、ゆで卵、ツナ、オリーブ、ラディッシュ、セロリ、バジル、緑のピーマン。季節によりそら豆、アーティチョークが加わります。意外にも、いんげんとじゃがいもは入れないのが“伝統”です。

L'été

盛夏

太陽との闘いの季節

NO.086

真夏の儀式をはじめる頃になりました。朝いちばんの仕事は、家中の窓と鎧戸を開け放ち、朝のひんやりした空気を家のなかに招き入れること。そして日が高く昇る前に鎧戸を半分閉め、太陽の熱をシャットアウト。夜、気温が下がると、再び鎧戸を開けて冷気を部屋に入れます。開けたり閉めたりいそがしいのだけれど、これをしないと家のなかの温度が上がってしまいます。昔からの南仏人の知恵なのです。

真夏は、照りつける太陽との闘い。古い家は、いかに室内に太陽の光を入れず涼しく過ごすか、という点を最優先につくられています。南向きの全面ガラス窓なんていう家に住んだ時は暑さに耐えられず、昼でも遮光カーテンをしたままでした。南仏では光あふれる家で暮らしていると思いきや、意外と皆、薄暗い家のなかで過ごしています。

ラベンダー色の風が吹く場所

NO.087

夏のプロヴァンスの風物詩といえば、ラベンダー。6月になるとうっすら紫色に色づきはじめ、日に日に紫が濃くなっていきます。天候により美しく咲く時期は毎年多少異なりますが、だいたい6月中旬から7月中旬頃までの間、リュベロンからヴァランソル高原、ソー村周辺と、標高の低いところから順に満開になります。

リュベロンとヴァランソルはハイブリッドの品種Lavandin（ラヴァンダン）が多く、ソー村周辺は高地でしか咲かない真正ラベンダーLavande（ラヴァンドゥ）が中心です。ラヴァンダンはひとつの茎が3つに分かれて花がつき、株が大きく見栄えがよく、一方、真正ラベンダーはひとつの茎にひとつの花。楚々とした本来の花姿が可憐です。私はソー村やフェラシエールからさらに標高の高い1100mくらいのところに行き、誰もいないラベンダー畑の木陰に座って、ぼーっと過ごすのが好きです。そのあたりの高地では、ラベンダー色の風がひゅうひゅうと強く吹いています。

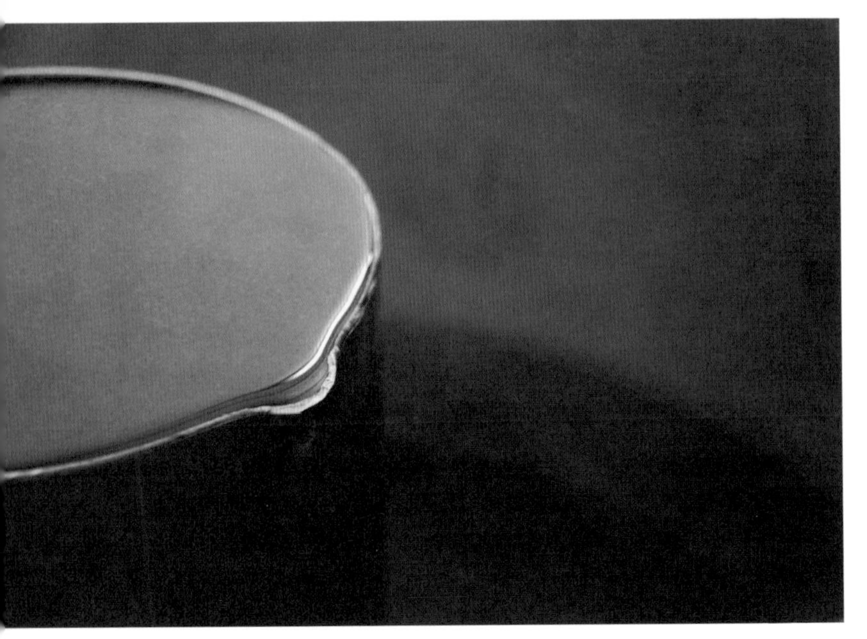

黄金に輝く雫

NO.088

清涼感のある香りにファンが多いラベンダーですが、何のために育てられているかといえば、乾燥ブーケ用はほんの一部で、エッセンシャルオイル（精油）をつくるためなのです。古代からこの植物は蒸留され、薬用植物として暮らしに役立てられてきました。品種によって異なりますが、1Lの精油を取るには120kg程度の真正ラベンダーが必要とか。花の景色を楽しむ間もなく刈り取り、すぐに蒸留されます。約2時間かけて蒸留すると、一滴一滴、金色に光る雫が落ちてきます。手法も昔から変わらず、原始的。古代からの人間の知恵が宿る雫です。

ラベンダーの名前は「洗う」を意味するラテン語から派生したそうですが、それは殺菌作用がある植物の効能からきているよう。消毒、肌の再生に効果があるとされ、やけどや傷にも使われます。その効能があるのは真正ラベンダー。ラヴァンダンにはありません。そのためフランスでは必ずどちらの種類かが明記されています。

おしゃれに年齢制限はない

NO.089

夏はフランス女性と日本女性のおしゃれの違いが際立つ時期。暑い南仏では素足はあたりまえで、熟年であろうとミニスカートやショートパンツをはいているし、露出度は高め。夏になると褐色の肌を目指す人が多いのは、そのほうが夏のファッションに似合って素敵だから。

歳をとると筋力が衰え、体形が変わります。それでもフランスにいると勇気がもらえるのは、皆がおしゃれを楽しんでいきいきしているから。年相応の体形でいいじゃない？ 自分が好きな服を着ればいいじゃない？ その心意気がいい。そして「おばさんのくせに」という人がいないのもいい。日本でそういわれたら、フランス人の口癖「Et alors?（それがどうしたの？）」といってやりましょう。南仏を旅する時は、洋服はぜひ現地調達を。快適な服がマルシェなどで安く買えます。

フォンテーヌのまわりで

NO.090

フランスでは多くの町にフォンテーヌ（噴水、泉）があり、その多くは美しい彫像などを伴い、町の装飾品としての機能を大昔から果たしてきました。ところが暑い南仏では単なる装飾を超えて、生活になくてはならない存在です。手や顔をさっと洗って熱中症を防ぎ、子どもたちは水をかけ合って遊び、散歩途中の犬は体ごとダイブして水浴びをし、カフェの横ではロゼワインを冷やしています。町や村を歩いていて、泉の音が聞こえてくると、心なごみます。

いつの時代も、泉は憩いの場。大きく豪華な噴水でも、ちょろちょろとしたささやかな水量のフォンテーヌでも、水音にはまちがいなく癒し効果があるようで、昔から人々は泉のまわりに集まり、緑や近くのベンチに腰かけておしゃべりしてきました。どんなに近代化が進もうと、泉が町から消えることはないでしょう。ちなみにnon potable（ノン ポータブル）と書いてあれば飲料不可なので、ご注意を。

ブティックが混み合う1か月

NO.091

掃除を手伝ってくれている女性に別れ際、「この後も仕事？」と聞いたら、「Yoko、何いってるの、今日からソルド（セール）よ。買いものに決まってるじゃない！」と楽しそうに出ていきました。フランスではソルドは年に2度。夏は6月末から、冬は1月上旬からそれぞれ約1か月続きます。期間は国の法律で決められていて、いっせいにはじまり、いっせいに終了。ソルド前に顧客にのみプライベートセールをする店もあります。

ほしいものがある時は、ソルドの前に定価で買うか、ソルドを待つか、じつに悩ましいもの。最初は30％割引くらいからはじまり、段階を経て最後は70％引きの投げ売り状態。終了間際は、もし何かあればという好奇心で店をのぞきます。

現在私が暮らす小さな町リル・シュル・ラ・ソルグには、ブティックはさほど多くないのですが、それでもやっぱりソルドは楽しい！

夏至を音楽で祝う夜

NO.092

世界中には夏至を祝ういろんな祭りがあるけれど、フランスは音楽で祝います。一年でいちばん昼の長い夏至の日は、誰でも好きな場所で音楽を演奏でき、そのすべてのコンサートは無料と1982年に法律で定められました。市町村が企画する公式のコンサートもあれば、アマチュアの個人グループが道端で演奏する小さなコンサートも。この夜は町中の至るところで音楽が奏でられます。クラシック、ロック、レゲエ、ジャズ、ヒップホップ……。ジャンルは問いません。

町の小道を音楽に導かれながらそぞろ歩き、屋台でビールを買って噴水のまわりに腰掛けて好みの音楽に耳を傾けたり、踊ったり、食べたり。この時期の南仏は夜10時頃まで明るいので、夕食後に繰り出しても、まだ宵のうち。マルセイユやニースなどの大きな町でも、片田舎の村でも、老若男女、皆が待ちわびる楽しい夜です。「音楽の日」は曜日にかかわらず、毎年6月21日。

フレンチ・リヴィエラの華やぎ

NO.093

プロヴァンスの夏の花がラベンダーなら、海側のコート・ダジュールの“夏の華”は、ブーゲンビリア。冬季も温暖なこのエリアでは、紫がかったあざやかなフューシャピンクや真っ赤なブーゲンビリアが、古い石塀や家のファサードに咲いていて、フレンチ・リヴィエラらしい華やぎを添えています。ボルム・レ・ミモザ、ヴィルフランシュ・シュル・メール、エズ、ポルクロール島、ル・カストレ（写真）……。ブーゲンビリアが美しく咲く町や村はたくさんあります。ジャスミンやラベンダーより花期がずっと長く、初夏から秋まで咲き続けるのもうれしい。

18世紀のフランス人探検家、ルイ・アントワンヌ・ド・ブーゲンヴィル伯爵がブラジルからもたらしたので、ブーゲンビリアの名前がついたそうですが、今ではすっかり地中海の気候になじんでいます。

翌日が楽しみな一品

NO.094

もっとも有名なプロヴァンス料理といえば、ラタトゥイユではないでしょうか？ なす、トマト、ズッキーニといった代表的な夏野菜のおいしさがあますところなく味わえる野菜料理。付け合わせ料理なので、レストランでメニューに出している店はなく、どの店で食べられますか？と聞かれて困る料理のひとつでもあります。

本場のラタトゥイユの材料はにんにく、なす、玉ねぎ、ズッキーニ、トマト、パプリカ、エルブ・ド・プロヴァンス（P.53）、オリーブオイル。トマトの水煮缶は使いません。トマトの煮込み料理ではないのです。野菜の質感、歯ごたえを残して煮るのがポイントで、火が通りにくい野菜から時間差で投入して煮ていきます。むずかしくはないけれど、時間はかかる付け合わせ料理。そのため、どの家庭もラタトゥイユは一度にたくさんつくります。じつは冷えたラタトゥイユもおいしくて、翌日を楽しみにする人も多いのです（私も！）。

束縛から解放されるヴァカンス

NO.095

いよいよフランス人が待ちに待ったヴァカンスのはじまり。ヴァカンスとは旅でもなければレジャーでもなく、一時的に日常から離れた場所で暮らす休息期間。仕事や人間関係から解放されて、身も心もひたすら休ませる。そうして自分らしさを取り戻し、9月から新しい一年をスタートさせるのです。セミと同じく、人間も不要なものを脱ぎ捨てることで新たな羽を得ることができるのでしょう。

さぞや出費も多いのだろうと思いきや、お金がないならないなりにヴァカンスは楽しめるよう。調理道具など日用品を車に詰め込んで、ぎゅうぎゅう詰めで移動する人を高速道路でよく見かけます。行き先はキャンプ場や週貸しのキッチンつき宿泊施設、親類や友人の家など多種多様。フランス人は見栄を張りません。この国で倹約は美徳！

ポン・デュ・ガールを川から仰ぎ見る　NO.096

ユネスコ世界遺産にも登録されているローマ時代の水道橋ポン・デュ・ガールは、見るだけでも十分その美しさを堪能できるけれど、カヌーをこいで訪れると、楽しさが倍増します。コースはいろいろあるので、時間と体力に相談して決められます。

たとえば8kmコースなら、コリアスからポン・デュ・ガールまで、急流のない2時間30分の初心者コースです。ポン・デュ・ガールで降りて、川辺でピクニックしながら素晴らしい眺めを堪能するもよし、橋まで上がって歩道を歩いてみるもよし。

長さ275m、高さ50mのこの橋は、ユゼスからニームまで毎日3000万Lの水を供給していた水道橋。川から見上げると、その巨大さを実感します。カヌーツアーを運営している会社はいくつかありますが、Kayak Vert（カヤック ヴェール）は5月から10月にツアーを実施しています。

意外な夏の人気者

NO.097

気温が真夏レベルに達すると、ある日突然、セミが歌いはじめます。日陰の温度が25℃を超える7月の上旬頃。シャンシャンシャンと聞こえてきます。南仏のセミは小型で、歌声は軽やか。これはオスたちの求愛の歌。耳に心地よく、清涼飲料水や洗剤のCMの効果音に使われるほどです。一度日本のセミの動画を近所の人に見せたら、こんな騒がしいのはセミではないと顔をしかめられました。

フランスでのセミの北限はプロヴァンス。そのため、セミ＝南仏＝ヴァカンスというイメージの連鎖があるのでしょう。みやげもの店には人気者のセミグッズがずらり。じつはこの地でセミは幸せのシンボル。理由はいくつかあるようですが、セミがよく鳴く年は豊作だからという説に私は一票。南仏にいるとついセミグッズに手がのびてしまいますが、一度日本の友人にプレゼントしたら気持ち悪がられてしまったのでそれ以来、アンタッチャブル！

BBQはヴァカンスのにおい

NO.098

7月に入ると、どこからともなく風にのっていいにおいが漂ってきます。それは、肉を焼くにおい。このにおいがしてくると、あぁ、ヴァカンスがはじまったなぁとしみじみ思うのです。

フランスのBBQに欠かせないものは、シポラータとメルゲーズという2種の生ソーセージ。シポラータは豚肉にセージやタイムで香りをつけたもの。メルゲーズは北アフリカ生まれで牛肉か羊肉のやや小ぶりなソーセージで、スパイスで赤いのが特徴です。スペアリブや骨付き鶏肉も定番。つまりフランスのBBQとは、肉をがっつり食すものなのです。家の庭やテラスで、BBQ専用設備を使って、日常的に楽しむのがフランス流。気合を入れて郊外に行くことも、おしゃれなしつらえも不要。フランス人は、毎日でも飽きないほどBBQが大好き！

アヴィニョンが巨大な劇場になる7月　NO.099

7月のアヴィニョンは、ヨーロッパ三大演劇祭のひとつといわれるFestival d'Avignon（フェスティヴァル ダヴィニョン）が3週間あまりにわたって開催され、町がひとつの巨大な劇場のようになります。メイン会場である教皇庁の前庭をはじめ、歴史的建造物が舞台になるのはオランジュの音楽祭と同じで、南仏に豊かな文化遺産があるからこその魅力です。

1947年にはじまった公式の演劇祭は「イン」と呼ばれ、40〜50本の作品が上演されますが、同時に「オフ」と呼ばれる自主公演も行われます。毎日、大小の劇場や芝居小屋で演劇、ダンス、コンサート、マイムなどさまざまなジャンルの舞台芸術が上演され、作品数は1500以上にのぼるそう。日替わりの作品もあり、町中の壁にポスターが貼られ、劇団のPR隊が町を練り歩いています。演劇祭の雰囲気が高まるのは、夕方から夜中にかけて。7月に南仏に来る機会があれば、雰囲気だけでも楽しんで。

夏の夜限定のマルシェ

NO.100

エクス・アン・プロヴァンスやサナリー・シュル・メールなど、夜もにぎわう町では、夏の夜限定のマルシェ、マルシェ・ノクチュンが立ちます。レストランで食事を終えた後、メインストリートにずらりと並ぶスタンドを見ながらそぞろ歩くのが夏の宵の風物詩。このマルシェは朝市とは違って青果ではなく、地元の郷土菓子や工芸品、地元の職人やクリエイターがつくるアクセサリーやアート作品、ラベンダー製品などが販売されます。旅行者にも、地元っ子にとっても散歩の楽しみになっています。

南仏は昼と朝夕の温度差が大きく、夜になると温度が下がり、夜風が気持ちいいので、皆、思い思いのおしゃれをし、家や宿から出てきてカフェの一角でアペロを楽しみ、レストランに行き、夜のマルシェで腹ごなしの散歩をします。このひと時が、夏ならではの楽しみ。夏は涼しい朝と夜に活動するのが、南仏っ子の習慣です。

肌を再生させる？ 不滅の花

NO.101

「不死」という意味の名前がついた、キク科のかわいらしい黄色い花、イモーテル。その名の通り、咲き終わっても花色が変わらず、不思議な力を持った花として知られます。プロヴァンスの乾燥した土地に自生していて、リュベロンの道端にもたくさん生えています。コルス（コルシカ島）では、アンチエイジングのコスメ用の栽培が盛んです。

南仏では7月が収穫期。エッセンシャルオイルにされるのですが、希少で高価な精油です。ヘリクリサムとも呼ばれますが、これには皮膚を再生させる効果があるそうで、植物オイルに混ぜて使用します。私も1本常備して、火傷や傷、かぶれなどにその効果を実感しています。茎にカレーのようなにおいがあるのが特徴で、別名は英語で「カレープラント」。みやげもの店やマルシェでは、ドライフラワーのブーケが売られています。黄色のカサッとした小花の丸いブーケがあったら、それがイモーテル。

いざ、アルプスへ

NO.102

「南仏の人は夏、どこにヴァカンスに行くんですか?」とよく聞かれますが、圧倒的に、涼しいところに行く人が多いようです。近場ならアルプスへ。南仏はプロヴァンス・アルプ・コート・ダジュール地方（シュド）というように、地方のなかにアルプスの一部も含まれていて、気軽に車で行くことができる距離です。暑い南仏に暮らす人にとっては、夏は灼熱のビーチで長期滞在するより、冬にはスキー場になるような山間に行って涼みたいというのが率直な願望なのです。

私も少し時間ができれば、たとえ3日でもアルプスに行きます。同じ地方とはいえ気候が違うので、家並みも風景もがらりと変わり、10℃くらい涼しく快適です。夜はテラス席で食事をすると寒いくらい。セル・ポンソン湖などで船を借り、湖の冷たい水で泳ぐのも楽しみ。朝食には、近所の農家から届く手づくりのフロマージュ・ブランや産みたて卵などが食べられます。

ぺったんこが人気　NO.103

ほぼ同時に出まわる真夏の果物の王様は、桃とアプリコット。年によって多少変わるけれど、7月から8月中旬が旬のピーク。だからこの時期は一日に何個でも食べたくなります。とくに平たい桃Pêche plate（ペッシュ プラット）は甘くて香りがよく、格別おいしいのです。完熟していれば皮がつるりとむけるし、種も小さくて食べやすい。平らなので、丸ごとがぶりとほおばれます。最近はネクタリンのぺったんこバージョンも出ています。ネクタリンは皮ごとがぶり。

一方、フランスのアプリコットは甘みと酸味のバランスが抜群で、生食でもローストしても焼き菓子に入れてもおいしい。砂糖少なめでコンポートにしても最高です。

南フランスの夏は雨が少なく、太陽をいっぱい浴びるので果物の糖度が高く、驚くほど甘い！　マルシェで山積みになっているものが、その時の旬のフルーツです。

恐るべしシロッコ

NO.104

夏にやってくると、恐ろしいのがシロッコ。アフリカのサハラ砂漠から吹きつける南風なのですが、これが吹くと南仏もイタリアも気温が上がり、そうなるとなす術がありません。気温がもっとも高くなる魔の時間は、午後3〜6時。

南仏っ子の対策は、①水分をたくさん補給する。ただし冷たいものは飲まない（体は急激に冷えた体温を元に戻そうと、体温を上げてしまうそう）、②スリムジーンズなど体をしめつけるぴったりした服は着ない（皮膚呼吸を妨げるそう）。ストッキングをはいている人は皆無です。南仏の夏のマルシェで売られている服は、麻やコットン製のショートパンツやふんわりワンピースなど、ゆったり風通しのいい服ばかり。そして最良の対策は、可能な限り、暑い午後は外に出ないこと。

夏のナイトライフ事情

NO.105

南仏ほど、夏と冬でハレとケのコントラストがはっきりしている場所はありません。夏の間は小さな町や村でも規模の大小はあれど、毎週のように何かしらのイベントが行われます。屋外のコンサート、DJのディスコパーティー、地元バンドのお披露目会などが各自治体主催で開催され、それに民間の商店が企画する路地裏コンサートが加わり、連日、お祭り騒ぎ。旅行者も住民も、夜になると昼とは違う顔でおしゃれをして出かけます。日中はカジュアルで化粧っけのない女性たちも、ディナーやパーティーでは見違えることもしばしば。ハレの日は晴れやかに。そんな日があるから、冬の単調な日々も粛々と過ごすことができるのでしょう。

もちろん、夏のナイトライフの楽しみは年齢不問。若者も老人も子どもも夜遊びし放題です。なにしろ、世のなかは長いヴァカンス期間中。明日の仕事の心配もないし、自治体のイベントは無料です。

プロヴァンスの巨人、モン・ヴァントゥ　NO.106

毎年7月、フランスでは自転車ロードレース「ツール・ド・フランス」が行われます。南仏のなかでよくコースになるのが"プロヴァンスの巨人"の異名をもつ、標高1912mの山、モン・ヴァントゥ。白い石灰岩の山頂を目指して、過酷な戦いが繰り広げられます。

パリ方面から列車に乗ると、アヴィニョンの手前でこの山が左手に見えてきます。堂々とゆったりとした佇まいのこの山を見ると、プロヴァンスに帰ったなぁと実感がわきます。山頂までは徒歩だと5時間くらいで登れるらしいのですが、じつは車で行くこともできるので、いまだに実現していません。頂上に行くと、車から降りるのもままならないくらいの風が吹いている日も。ヴァントゥの名前は Vent（ヴァン）（風）に由来していることに納得の強風です。でもそのおかげで空中の湿度が取りのぞかれ、アルプス山脈の絶景が望めます。真夏にここに来ると、涼しくて別天地。

地中海で、南フランス的なる休日を　NO.107

だまされたと思って、南仏に来たら一度は地中海で泳いでほしい。美しい海を眺めるだけなんて残念すぎます。といっても私自身、泳ぎに自信があるわけではないので、基本はごろごろとビーチチェアに横たわる海辺のマダム、否、アザラシとなるのですが、ときどき海に入ってリフレッシュ。お腹が空いたら食事をして、読書しながら一日ビーチで過ごします。潮の満ち引きがほぼなく、水が透明なので下が見えて怖くないのが地中海のいいところ。なぜか地中海ではどれだけでも浮いていられます。

バンドールやサナリー・シュル・メール、ベンドール島が私たちの行きつけのビーチです。少し足をのばして、ニース（写真）で数日過ごすことも。ビーチレストランでリクライニングチェアとパラソルを借り、波の音を聞いて、潮風に吹かれる南仏の休日。最近はトップレスが減ったけれど、人生で一度くらい経験してみるのもいいかもしれません。

究極の夏のひと皿

NO.108

生野菜にアンチョビソースを添えたシンプルなひと皿、それが、アンショワイアード。アンチョビ、ケッパー、オリーブオイル、にんにくをブレンダーで混ぜてソースをつくり、生野菜につけて食べるだけなのですが、アンチョビの塩分と野菜の水分が、ほてった体に心地いい！

野菜はきゅうり、ラディッシュ、プチトマト、カリフラワー、にんじん、セロリなどを生で、手でつまんで食べやすいようにスティック状に切ります。ソースは、粗みじん切りにしたにんにく大ひとかけ分、アンチョビ20枚、ケッパー小さじ1、オリーブオイル大さじ3をチョッパーかブレンダーでペースト状にするだけ。10分もかかりません。野菜がいつも以上においしく感じられ、食欲がない日でもつい手がのびる一品です。夏のアペリティフでの登場率も高く、ヘルシー志向の人にも人気です。

記念日キャトールズ・ジュイエ

NO.109

7月14日は、絶対王政が終わり、フランス共和国が成立したことを祝う革命記念日、14 juillet(キャトールズ ジュイエ)の祝日です。日本ではパリ祭と呼ばれますが、フランスでは7月14日と日付で呼ばれるのが一般的。この日パリではシャンゼリゼ通りで軍事パレードが行われ、空軍のアクロバットチーム、パトルイユ・ド・フランスがフランス国旗の3色の煙を噴射して飛行、エッフェル塔で花火が盛大に打ち上げられます。南フランスの各町でも花火が打ち上げられ、フランスの三色旗で町中が飾られます。

1789年7月14日に起こったバスティーユ襲撃が発端となり、10年続いた革命でした。フランスは1日にしてならず。マルセイユの義勇兵がパリに向かう道中で歌った行進曲「La Marseillaise(ラ マルセイエーズ)」は国歌になり、自由・平等・友愛のモットーが現代も変わらず国のスローガンであり続けています。

あっという間の収穫

NO.110

ラベンダー畑では、花が美しいタイミングで、まず手作業で乾燥ブーケ用に一部を刈り取ります。その後、オイルをたっぷり含んだらトラクターで収穫し、蒸留。満開になったと思ったら、もう刈り入れ？ と毎年思うほど、見頃は短いのです。でもじつは収穫の時がいちばんいい香り。花を積んだトラクターが通るだけで、一帯がいい香りに包まれます。

標高が1000mを超えるあたりのエリアでは、真正ラベンダーの畑が延々と続いています。この広大な畑での栽培は、19世紀末頃からはじまりました。それまでは、自生しているラベンダーを女性や牧童が摘んでは小型の機械で蒸留して精油をつくっていたのだとか。今もこのあたりに行くと、いたるところで自然のラベンダーが咲いていて、摘んで帰ると、香りも色も長く持ち驚きます。

生花でつくる伝統工芸品

NO.III

ラベンダーの収穫がはじまったと聞けば、急がなくてはいけないのが、フュゾーづくり。フュゾーとは、別名ナヴェット、英語ではラベンダースティックと呼ばれるプロヴァンスの伝統工芸品です。生花を折り曲げ、リボンで編み込んだオブジェで、なかに花が隠れているため、軽くたたくと香りがほのかにふわっ。新鮮な生花でないと茎が折れてしまいます。プロヴァンスでは、婚約や結婚の時に贈られる習慣がありました。

一般的なのはマラカス形。中型ならラベンダーを42本使います。根気さえあれば、初心者でも不器用でもそれなりの形になるのがありがたい。リボンの色がインテリアのアクセントになるので、ドアの取手にぶら下げておくだけでも素敵。クローゼットに入れれば虫よけに。実用を兼ねた美しいオブジェです。近年人気が再熱してきていて、観光地では専門店ができたりしています。

恵まれた南仏への復讐？

NO.112

プロヴァンスに暮らしていて、夏はうれしくて冬はうれしくないもの、それはミストラル。アルプス山脈と中央山塊から生まれる風が、狭いローヌの谷を通り抜けることによってスピードを増し、地中海に吹き下ろす冷たく乾いた北風です。真夏に吹けば気温が一気に下がってありがたく、冬に吹けば寒さが骨身に沁みます。昼には吹き荒れ、夜中にはぴたりと止み、なぜか3の倍数日吹き続けるという不思議な風。

温暖で恵まれた南部に対する北部の復讐、というジョークもあるけれど、実際、マルセイユを築いた古代ギリシア人も、アルルに暮らした画家ゴッホも悩まされた強風なのです。けれどこの風は、土地を乾燥させてラベンダーを育て、カマルグの塩を結晶化させ、オリーブを受粉してくれる命の風でもあるのです。ミストラルが吹き荒れる夕刻は、目を閉じ耳を澄ませます。風の音は、大地の歌。

フランス人好みの旅のツール

NO.113

「クルーズ船の乗客の国籍は、フランス人率がかなり低い」という話を聞いたことがあります。かたや、他国にくらべてフランス人が所有する率が高いものといえば、キャンピングカー。クルーズとキャンピングカー。たしかに自由度でいえば、真逆の選択肢。

隣人のリタイア組夫婦は、古いキャンピングカーを持っていて、夏になるとどこかに出かけていきます。「明日から出かけるよ」「ヴァカンスですね。いいなぁ。どちらへ?」「さぁ、とりあえず、西へ」「で、いつまで?」「さぁて、どうかな」なんて具合。行き先も、期間も決まっていないのが、真のヴァカンスというわけ。なんと、ぜいたくなのでしょう。彼らは一度出かけたら、最低でも1か月は帰らず、戻ったと思ったら用だけすませてまた出かけていきます。駐車場ですれ違った彼らのうれしそうな笑顔といったら。自由気ままなキャンピングカーでのヴァカンス。一度は経験してみたいものです。

3本の糸杉を見つけたら

NO.114

すっくとのびた糸杉は、オリーブの木と同様、プロヴァンスのシンボル的存在。剪定しているわけではなく、自然にこんな形なのですが、昔からいろんな役割を担ってきました。畑のまわりを糸杉がぐるりと囲んでいるのは、農作物を強風ミストラルから守るためです。

徒歩や馬、馬車で旅をしていた時代には、人々は糸杉を目印に旅をしていました。家の門の前に1本の糸杉があったら「お茶を飲んで休憩できます。旅の情報をさし上げます」。2本の糸杉があったら「食事の用意があります」。3本の糸杉があったら「宿泊できます」。背が高くて遠くからでも見えるこの木ならではの使い方。現代はもう必要なくなりましたが、昔の風習を真似て、3本の糸杉を家の前に植えている家をときどき見かけます。

絶景を見るなら、城塞の上へ

NO.115

ニースのプロムナード・デ・ザングレ（イギリス人の散歩道）からイタリア方面を望むと、突き当たりに小高い丘Colline du Château（コリーヌ デュ シャトー）が見えます。この丘の上は、どこに立ってもポストカードのような眺めが楽しめる絶景スポット。Hôtel Suisse（オテル スイス）の横に丘へ上がるエレベーターがあり、運がよければ動いています。あるいは階段で上まで登ると、広々とした城塞公園があり、「天使の湾」と呼ばれるニースの海岸線と旧市街の街並み、背後にある港の景色が一望できます。人工の滝もあり、夏には水しぶきが気持ちいい。

ここは、13〜18世紀初頭まで町を守る城塞として機能していましたが、今は市民の憩いの場所。観光客だけでなく、ニースっ子も大好きなスポットです。日が暮れる前に階下の門が閉められるので、夕景を撮影しようとねばっていると閉じ込められる恐れが。閉園時間が来たら丘を下りましょう。

真夏の夜の野外音楽祭

NO.116

南フランスの夏は、各地で音楽祭が開催される素敵な季節。オランジュ音楽祭は2000年前につくられた巨大な古代劇場を舞台にオペラやクラシック音楽のコンサート、エクス・アン・プロヴァンスの音楽祭は町の大小のホールや劇場で上質なオペラ、ニースやアンティーブではジャズフェスティバルが開催されます。

オランジュやエクスは、アペリティフ、その後のディナーを楽しんだ後、日の長いヨーロッパの夜のとばりがおりる頃に、幕が上がります。コンサートもオペラも別の季節でも楽しめるけれど、夏の夜のこの雰囲気は別格。世界中からこれらの音楽祭に合わせて南仏を旅する音楽ファンも多いので、チケットと宿は早めに予約しておくのがおすすめ。チケットは庶民にも手の届く価格帯です。その他の町や村でも各種音楽イベントがあり、その多くが野外での催し。小さな村での音楽祭は親密な雰囲気で、それもまた魅力的です。

プロヴァンスの三姉妹

NO.117

カトリック教会が権力を持ち、ぜいたく主義に陥っていた11世紀、清貧さを尊ぶシトー会という会派がフランスで生まれました。彼らは人里離れた場所に、自分たちで切り出した石を積み上げて教会をつくり、祈ることに生涯を捧げました。教会内部も装飾を省き、刻々と動く光のみが、神の象徴。南仏には3つの美しいシトー会の修道院があり「プロヴァンスの三姉妹」と呼ばれています。セナンク修道院、トロネ修道院、シルヴァカーヌ修道院。12世紀の建造物で、簡素なのに甘美な空間。瞑想の場である回廊にいると心が静まり、どれだけいても飽きることがありません。男子修道院なのに「三姉妹」と呼ばれるのは、その佇まいの美しさゆえなのでしょう。

セナンク修道院だけは、現在も修道士が祈りの生活を送っています。ラベンダーを育てていることで有名で、内部の見学も可能。清らかな祈りの里へは、人の少ない朝に訪れるといいでしょう。

ペティアントな気分

NO.118

プロヴァンスの内陸部の真夏は日差しが強いだけでなく、乾燥具合が半端ない。山に草が生えないのも、山火事がしばしば起きるのも、そのせいです。シワが増えることくらい、たいした話じゃありません。

そんな気候だから、夏は炭酸水がおいしい。カフェでも日中は南仏の炭酸水、ペリエ一択です。レモンを入れてもらい、ビタミン補給も忘れずに。

そして真夏だけはビールが飲みたくなる日があるのだけど、生ビール250mlは私には多いので、半量のボック（南仏の呼び方）か、あるいはビールをレモネードで割ったパナシェを。最近はフランスのクラフトビールが格段においしくなっていて、フルーティーで軽めのものも人気です。食前酒には冷えたシャンパーニュを1杯飲みたくなる季節。つまり暑気払いには、ぱちぱちはじけるペティアントな飲みものが効果的です。

巨大で美味な“牛の心臓トマト” NO.119

南仏のトマトはどれもおいしいけれど、主役はやっぱり「牛の心臓トマト」。巨大な心臓のような形からこう呼ばれているのであって、牛とは何の関係もありません。南仏では、赤・黄・黒の3色が一般的。私は酸味が少なめの黄色が好きです。そして1個700gくらいある大きいほうが、ジューシー。

トマトをおいしく食べるポイントは、冷蔵庫に入れずに常温で完熟させます。そして、食べる30分前にスライスして皿に並べて天然塩を振り、エクストラバージンオリーブオイルをかけておきます。すると、塩の働きでじゅわっとトマトのジュ（汁）が出てきてオイルと一体化。これをパンにつけて食べると至福です。バジルの葉を少し添えたり、モッツァレラチーズと一緒に盛れば、ごちそうサラダのでき上がり。トマトの季節は真夏。スーパーでは冬でも外国産のものが売られていますが、旬の地ものに勝るものはありません。

年に一度の水上マルシェ

NO.120

私の暮らす町リル・シュル・ラ・ソルグは、大きなマルシェが立つことで有名です。年中、木曜と日曜の午前に立つのですが、一年に一度だけマルシェ・フロッタント（水上マルシェ）が開かれます。川にぐるりと囲まれた水の町の特徴をいかして、プロヴァンス唯一のこのマーケットを1960年代にはじめたそう。

野菜、果物、花束、ワイン、チーズ、パン、オリーブなど地元の商品をのせた小舟がソルグ川に何艘も浮かび、のんびり歌いながら販売します。売り子もプロヴァンスの服を着て、商品も美しく飾りつけ、とても素敵な雰囲気。たいした量はのせられないので売り上げは多くはないと思うけれど、ひと昔前ののどかな様子を見せてもらえるのがうれしい。朝9時から午後1時まで。日にちは毎年変わり、6月末から9月上旬の間の日曜日に1日のみ開催されます。

セ・ラ・ヴィ、人生ってそんなもの　NO.121

夕食の時間が過ぎてもレストランのあちこちから笑い声が聞こえてきます。広場や川沿いでは、帰るのを惜しむように皆、深夜までおしゃべりを楽しんでいます。

「なぜこんなに皆さん楽しそうなんですか?」とよく日本のお客様から聞かれるけれど、なぜなのでしょう。辛いことも悩みも同じように抱えて生きているだろうけれど、身近なフランス人を観察していると、彼らは仕事（オフィシャル）と私生活（プライベート）の切り替えがうまく、仕事の失敗などを引きずらないことはたしか。

フランスに来て学んだこと。それは「起きてしまったことをくよくよしない」「起きてもいないことを心配しない」。そんな暇があるなら、友人や家族と食事を楽しみ、今、目の前にある幸せをかみしめる。そして、一生懸命取り組んでもうまくいかないことがあるなら、あきらめも肝心。C'est la vie！（人生ってそんなもの！）

ゴッホがアルルで描いたひまわり　NO.122

真夏の真ん中。暑さにふらふらしてくる頃、ひまわりは満開になります。太陽という希望に向かって輝く大輪の花が並ぶ風景は、黄色の海。情緒はあまりないけれど、エネルギーは強大。私は後ろから見たこの花も好きです。光という希望に向かって輝いて見えるから。

アルルに着き、ゴーギャンとの共同生活を心待ちにしている間、ゴッホはレモンイエローの明るい黄色でひまわりの連作を描きました。その時この花から、前向きな力をどれだけたくさんもらったことでしょう。

ひまわりはタネから油を採るために育てられます。枯れた後もそのまま放置されるので、頭をたれて黒く枯れたひまわりが広大な畑でずらっと並んでいる様子はかなしい。耳切り事件をきっかけにゴーギャンが逃げるように去った後、ゴッホは部屋でひとり、以前自分が描いた作品を見ながらひまわりの絵を描きました。もうどこにもひまわりは咲いていない、希望の消えた冬の南仏で。

シエスタで体をエコモードに

NO.123

真夏の暑さのピークは、午後3時から6時頃。この時間は活動せずシエスタするのは、理にかなっています。シエスタとは昼寝の習慣だけれど、南仏で暮らしているとその必要性がわかります。午後のいちばん暑い時間に出歩いているのは旅行者だけで、土地の人は家のなか。午後の畑には人っ子ひとりいないし、夏にトリュフを採りに行くのも犬がかわいそうだからと日が昇る前にしか行きません。

昼食を食べた後は、南仏っ子の夫は時間があれば少し横になります。リタイア組のパパとママンは夏のみならず一年中、昼食後は寝室に直行。眠ることもあれば、本を読んでいる時も。それは自宅でも、わが家に来た時も同じリズム。「いいシエスタを」と送り出します。体力が落ちてきたら、体をエコモードにして、休みながら生きるのが正しい。

消化を助けてくれるハーブティー

NO.124

オート・プロヴァンスの小さな町、フォルカリキエの夏のマルシェで、皆が葉っぱのついた長い枝の束を手に帰っていくのを見て、何だろうと思ったのが、ヴェルヴェーヌとの出会いでした。英語でレモンバーベナ。ひと枝買ってみたら、たしかにレモンっぽい柑橘系の香りがしました。

この葉を煎じて飲むハーブティーは、心身の疲れ、とくにストレスや消化を助けてくれるそう。マルシェで出会って以来、大きな鉢で育てていますが、放っておいてもぐんぐん育ち、冬は枯れて死んだように見えても春になると葉がまた出てきます。

夏の間は、この生葉をお茶にして食後に飲むのが私の習慣。ハーブの蜂蜜ととても相性がいい。9月、運よく葉が残っていれば、乾かして瓶に詰めて冬の間、大切に味わいます。レモンに似たさわやかな香りが、夏のにおいや風景を思い出させてくれるのです。

フランス初のメロンの栽培地

NO.125

乾燥した夏は、身体がからから。だから、毎日のようにジューシーで甘いメロンをランチに食べます。カヴァイヨン周辺は、15世紀末、イタリアからもたらされたメロンをフランスではじめて栽培して以来の産地です。真夏になるとマルシェでは、3個700円なんていう値段で山積みになり、皆、食べ頃かどうかを判断しようとにおいをかぐのも真剣な面持ち。つるの根元が自然にとれる頃が食べ頃だそうで、そうなると台所中にいい香りが充満してきます。完熟メロンのお供は生ハム。これはもう、絶対的な決まりごと。生ハムの強めの塩分も、夏には心地よく感じます。

暑さがもう一段階上がると、水分の多いスイカがさらなるごちそうとなります。もはや生ハムも不要。マルシェで大玉を半分に切ってもらって持ち帰り、がぶり。カリウムやリコピン、ビタミンも豊富だとか。マルシェで私の前に並んでいたマダムは、3玉も買っていきました。

異名は「穀物のキャビア」 NO.126

ラベンダーが刈り取られた後、プロヴァンスの高地ではある穀物の収穫が待っています。夏暑く冬は寒い地中海性気候のやせた土地を好む点がラベンダーと同じ、イネ科の植物。ひゅうひゅうと風の音だけがする広大な土地一面に、黄金色の穂がうねります。

それは、古代麦のPetit épeautre（ひとつぶ小麦）。スペルト小麦Épeautreの小粒版ですが、栄養価はさらに高く「穀物のキャビア」の異名をもちます。繊維が多く、プロテインが豊富で、グルテンはわずか7%。1万年前から遺伝子が変化していないので、アレルギーを引き起こしにくいそう。健康ブームで人気が復活し、ブランジュリーではこの粉からつくったパンを焼く店が増え、スーパーではビスケットなどが売られるようになりました。わが家ではゆでたプティ・テポートルでサラダやリゾットをつくります。忘れ去られていたものが見直される時代。食の世界も原点に回帰する過程なのかもしれません。

密かに好きな村、グルトとセギュレ　NO.127

いちばんおすすめの場所はどこですか？　これもまた、悩ましい質問です。「密かに好きな場所」ということであれば、グルトとセギュレ（写真）をあげたい。どちらも「ここは必見！」とすすめるには何もない村だけれど、プロヴァンスの美しさが詰まった好きな場所です。

グルトはリュベロンの有名な村、ゴルドのそばにあります。石づくりの家々は手入れが行き届き、本物の贅を備えた伝統的な家ばかり。旅行者も少ないので、写真を撮るにはおすすめです。一方、セギュレでは、眺めのいいサロン・ド・テでレモネードを1杯。お気に入りの席の前の窓からは、丘を越えてひんやりした風が届きます。ぶどう畑を眺めながら、遠く離れた好きな人たちに、少しはましな言葉を手紙に綴れそうな気がする、そんな場所です。

南仏っ子はフィグが大好き　NO.128

私にとって、プロヴァンスのにおいは、フィグ（いちじく）のにおい。歩いているとふとフィグのにおいがふわっと漂い、まわりを見渡すと、大きなフィグの木が枝を張っています。果実がついていない季節でも、木全体から緑っぽいいちじくのにおいがします。エクス・アン・プロヴァンスのメーカーが出しているフィグの香水を愛用しているのですが、リヨン在住のマルセイユっ子の友人がそれに気づいて、即座に「あ、フィグのにおいがする！　懐かしい！」といいました。皆このにおいが大好きとみえて、キャンドルや石けんにもフィグの香りを見かけます。

日本のいちじくよりフランスのものは水分が少なく、ぎゅっと実が詰まっています。コンフィチュールにするとパンにもチーズにも合い、最高。いろんな品種がありますが、色で分けると、黒いちじくと、緑いちじく。黒のほうが濃厚、緑のほうがさっぱりした風味がします。いずれも8月後半から9月にかけて出まわります。

冬のためにコンフィチュールづくり　NO.129

『アリとキリギリス』という寓話がありますが、それと同じで、春から夏にかけて果物が次々と出てくる季節にコンフィチュールをたっぷりつくっておかないと、冬になったら寂しい思いをします。もっとも現代はおいしいものがあふれていて、いつでもどこでも買えるのでつくらなくても構わないのだけれど、皆それぞれ味にこだわりがあり、マルシェで果物が安く買えた時などに自家製コンフィチュールをつくり、友人に分けて喜んでもらえるのもささやかな喜び。

ポタジェ（畑）を持っている人たちは、夏は冬のために保存食をたくさんつくりおきします。果物はコンフィチュールやシロップ漬けに、野菜は酢漬けにしたり、トマトソースやラタトゥイユにして瓶に詰めておけば、いつでも食べられます。昔からの暮らしの知恵。そしてそれは、地球の裏側から運ばれた青果を食べるより、地球にも体にもやさしいことだと思うのです。

夏の終わりを告げるオラージュ　NO.130

雨雲がにわかに陽光をさえぎり、冷気を含んだ風が部屋に舞い込んできたら、私は窓をさらに開けて待ち構えます。遠くで雷音がしたら、まちがいありません。小雨が降りはじめると、夫は掃除をするため、上のテラスへ。床をゴシゴシと柄つきのたわしで洗う音が聞こえてきます。雨を利用して掃除だなんてと思うけれど、ママンもやっているので、南仏人の生活の知恵なのでしょう。雨足が強くなってきたら、間をおかずに雷がやってきます。こうなれば夫も掃除どころではありません。体をタオルでふきながら、私と一緒に雷観賞。夏の間はほとんど雨が降らないので、乾燥しきった大地には恵みのオラージュ（雷雨）。

1時間もせずに雲は消え、再び太陽は輝きはじめます。大地は清められ、空も透明なブルー。南仏の夏も、終わりが近づいています。

塩の花、フルール・ド・セル

NO.131

ヨーロッパ最大の湿地帯のひとつカマルグには、サラン・ド・ジローとエグ・モルトに塩田があります。海水が満ちた潟の水を時間をかけて蒸発させ、残った塩を採取するのですが、実際、塩田に行くと、水辺の縁には白い結晶が溜まっていて、なめてみると、すでに立派な塩。うまみがあるまろやかな味わいの自然海塩です。

真夏から初秋に塩田に行くと、ラベンダー畑かと見まちがえるくらいの赤紫色。これはこの時期、塩分濃度が上がり、藻が発生してカロテノイドを出すからだそう。カマルグの塩は精製しなくても白いのですが、たまに蓋を開けるとうっすらピンク色のものもあります。塩は3種類。フルール・ド・セル（塩の花）は海水の表面にできる結晶で、うまみと食感があるので料理の仕上げや、おにぎりや漬物に使うのもおすすめです。セル・ファンは細かい粒状で調理用。粗粒グロ・セルはパスタをゆでる時とバスソルトに使っています。

口笛を吹きながら　NO.132

口笛って、自分への応援歌なんだと知ったのは、リル・シュル・ラ・ソルグの町に引っ越してきてから。隣人の口笛癖が移って、夫もいつも何か作業しながら吹いています。機嫌がいい時はもちろんだけれど、むしろ気が乗らない時や落ち込んでいる時に効果てき面。私も洗濯を干しながら真似してみたら、不思議とやる気が出てきました。

真夏の洗濯は楽しい！　どれだけたくさんの洗濯物があろうとも、1時間足らずでぱりっと乾いてしまいます。秋になると、そうはいきません。見た目は同じ太陽でも、熱量が全く違うのです。さて、猛暑はそろそろ終わり。今日は一日涼しい風が吹き、木々も生き返ったよう。明日からは少しずつ風のなかに秋のにおいが混じりはじめ、人間も動物も虫も鳥も心地よく過ごせる季節がやってきます。こんなに毎日暑かったのに、なぜか毎年、一抹の寂しさを感じる夏のファイナル。今年も3分の2が経過しました。

L'été indien

初秋

シルバー・ヴァカンスシーズン　NO.133

フランスは9月が新学期。日本のように新学期や新年度のセレモニーはなくあっさりしたものなので、直前ぎりぎりまで夏休みを楽しむ家族が多いのですが、9月に入ったとたん、南仏のヴァカンス地から子ども連れのファミリー層がさぁーっといなくなります。かわりに増えるのがリタイア組のシルバー層。

気温もホテルや公共交通機関の料金も下がるので、時間がたっぷりあるシルバー世代は7、8月のピーク期を避け、9月にやってきます。日本よりひと足早く季節が移り変わるフランスでは、秋の気配が漂いはじめています。それでも日差しはまだ強く、夏の雰囲気も満喫できる絶妙なタイミングなのです。ビーチは大人の雰囲気。町も落ち着きを少しずつ取り戻し、日常のリズムに戻っていきます。

夏の灼熱も喧騒も終わり。休むのにもそろそろ飽きたし、さぁ、またがんばるかぁ。そんなムードで南仏の9月ははじまります。

ワインフェアと収穫と

NO.134

9月に入るとAuchan（オーシャン）、Intermarché（アンテルマルシェ）、Casino（カジノ）、Monoprix（モノプリ）など大手スーパーが軒並みワインフェアをはじめます。どこも目玉商品を用意し、ボルドー、ブルゴーニュ、シャンパーニュ、地元のシャトーヌフ・デュ・パプやプロヴァンスなど、高級ワインからお手頃ワインまでがずらりと特設の棚に並びます。人気の高い店舗だと、初日の開店と同時に駆け込むワイン愛好家もいるほどです。

ワイナリーには、収穫期の張りつめた空気が漂う時。天気予報を入念に確認し、収穫時期を慎重に判断します。手摘みで収穫するワイナリーは臨時アルバイトを総動員。最大の集中力をもって、一年の総仕上げ、収穫から醸造へのステップに臨みます。

プロヴァンス地方のいたるところにぶどう畑が広がっていて、この時期にはぶどうを山積みにしたトラクターがいそがしそうに行き来しています。

宝石みたいな初秋の果物　NO.135

朝起きて窓を開けたら、透明感あふれる秋の光が一面に広がっていました。秋の訪れはいつも突然、こんなふうにやってきます。一夜明けて、秋に生まれ変わった日。

気づくと、マルシェには宝石みたいに美しいプラムが出ています。赤、黄、ピンク、紫……。さまざまな品種があり、色も大きさもいろいろで、マルシェでは色別に並んでいます。どれも酸味が少なく、見た目よりずっと甘い。プラムほど想像以上のおいしさに驚くフルーツはないかもしれません。フランス王妃が好んだことからその名がついたレーヌ・クロード（クロード王妃）という品種は黄味をおびた緑色。紫の楕円形のクエッチは北のアルザス地方、黄色い小粒のミラベルはロレーヌ地方で多く生産されている品種です。

フランス人がプラムを使ったお菓子でとくに好きなのは、タルト。シンプルな焼き菓子ですが、これにバニラアイスを添えて食べると最高です。

ブリオッシュにたっぷりクリーム

NO.136

「サン・トロペの女性」という名前がついたケーキ、トロペジェンヌ。オレンジフラワーウォーターがほのかに香るふわふわのブリオッシュに、ホイップクリームなどを混ぜた軽いクレーム・パティシエールをはさんだシンプルなケーキです。表面にかりかりとした粒砂糖がのっているのがアクセント。南仏ではどのパン屋さんでも買えるポピュラーなお菓子で、クリームがはみ出さんばかりにたっぷりはさんであるのが、絶対条件です。

サン・トロペに移り住んだポーランド人の菓子職人が、おばあちゃんのレシピでつくったのがはじまり。ロケ先で気に入った女優ブリジット・バルドーが名づけ親になったという説も。繊細なフランス菓子というより、老若男女みんなが大好きなパン屋さんのケーキです。1952年に誕生し、今では南仏の定番のお菓子になりました。家族が集まる週末には、大きなホールタイプが並びます。

フランスで最も美しい村のこと

NO.137

フランスには、景観という大切な遺産を守ろうと、1982年に発足した「フランスで最も美しい村」協会があります。2023年11月現在、14の州の176の村が認定されています。人口2000人以下で、歴史的建造物または自然遺産を含む保護地区を2か所以上所有し、活用、開発していることが選考基準。美しい村の存在を示すことで、過疎化を防ぎ、村に活気をもたらすことがそもそもの目的です。

南仏のプロヴァンス・アルプ・コート・ダジュール地方（シュド）では、22の村が選ばれています。ゴルド、ルールマラン、メネルブ、ルシヨン、アンスイ、ヴナスク、セギュレ、レ・ボー・ド・プロヴァンス（写真）、ル・カストレ、トゥールトゥール、コティニャック、バルジェーム、セイヤン、ガサン、ムスティエ・サント・マリー、アントルヴォー、サン・ヴェラン、ラ・グラーヴ、コアラーズ、グルドン、サント・アニェス、サオルジュ。

コキアージュの季節到来

NO.138

最近は流通や冷蔵の質が上がっているので南仏でも一年中、生牡蠣などのコキアージュ（貝類）が食べられますが、やはり秋から冬にかけてが本格的なシーズンです。牡蠣はブルターニュやノルマンディ産が多いけれど、プロヴァンスのカマルグ産もなかなか美味。鮮魚店や専門店に行くと、牡蠣、大エビ、手長エビ、オマール、カニ、つぶ貝などが並んでいて、好きな数だけ注文できます。テイクアウト専門店もあれば、店内や店の軒下で食べられる店もあります。持ち帰る場合もきれいに並べてくれるので、家で食事したい時や、お客様がくるけれど料理したくない時などはとてもありがたい。

生のコキアージュでおなかを壊さないためには、食べすぎないこと、それと、白ワインを飲むこととフランスではいわれますが、真偽のほどはいかに。11月になれば、ウニも解禁。秋は食欲も絶好調。楽しみが尽きません。

まずは手摘みでグリーンだけ

NO.139

9月はオリーブの収穫時期。ただし、塩漬け用のグリーンオリーブの実に限られます。すべてのオリーブの実は最初は緑で、成熟するにつれて濃い紫色に変化していきます。9月に手摘みで一部を収穫して塩漬けにし、10月中旬から11月にかけてオリーブオイル用に残りの実を収穫します。世界に存在するオリーブの品種は500とも1000以上ともいわれ、品種によって繊細なもの、力強いものなど個性豊か。南仏のマルシェでは塩漬けの実も品種別に売られているので、食べくらべのチャンスです。

フランスでは地中海沿岸にしかオリーブの木はないため、オリーブの生産量は2万1800トンあまり（2022年）と少ないけれど、品質はナンバーワンだと皆、胸を張ります。この時期、運よく生のオリーブの実が手に入ったら、家で塩漬けづくり。毎日水をかえるなど、根気のいる仕事です。

秋の海を見に、静かな岬へ

NO.140

秋になると静かな海が見たくなります。そんな時は、サン・ジャン・カップ・フェラへ。ニースから10kmほどしか離れていないのに、別世界。半島が岬になっていて、素晴らしく見晴らしがいいのです。1880年までは人里離れた港町でしたが、その立地に価値が見出され、超高級別荘地になりました。一般公開されているロスチャイルド家の男爵夫人が建てたロートシルト邸がもっとも有名ですが、それ以外にもベルギー王のレオポルト2世、サマセット・モーム、F・スコット・フィッツジェラルド、エディット・ピアフなどこの地に別荘をもった有名人は数多。ここに家を持つなんて夢だけれど、その風景を眺めることは誰にでもできます。パロマビーチの先に散歩道があり、静寂の秋の海を堪能するには最高なのです。

海をぼーっと眺めていると雑念が薄れて、思いがけず、いい考えが浮かんだりします。こういう時間はとても大切。

オークルのグラデーション

NO.141

17の濃淡の階調を持つオークル（黄土）といわれるのが、ルシヨン村の土。村はオークルの丘の上に立ち、家や教会もこの土を使ってつくられているので、褐色から黄色、オレンジ、ピンク、赤にいたる微妙なグラデーションが村全体を包んでいます。時を経て色あせているのが何ともいえない味わいになっていて、木々の緑に映えてとても美しい。村の前にはむき出しになっているオークルの地層があり、その多彩な色の階調を目の当たりにすることができます。

このあたりのオークルはローマ時代には焼きものの艶を出すために使われていたそうですが、建物を色づけする顔料として使われはじめたのは、18世紀になってから。今、この顔料で家を塗ろうとすると高額になりますが、絵を描くくらいの量なら、みやげもの店でも買えます。私たちは、このオークルを使ってアンティーク家具のペイントに挑戦中。ルシヨン色の家具、想像しただけで美しい！

名残のバジルの香りに癒されて　NO.142

プロヴァンスっ子が「秋を感じた最初の日に食べるスープ」という、なんとも詩的なひと皿が、ピストゥスープ。ズッキーニやいんげん、じゃがいも、にんじん、玉ねぎに、白いんげん豆と赤いんげん豆、小さなショートパスタが入り、バジルのペースト「ピストゥ」を最後にたっぷりトッピングします。フランスのスープではめずらしく、大きな具がゴロゴロ入っています。でも本当に、秋風が吹いてきたらなぜか食べたくなるスープなのです。

現実的なことをいえば、この頃には鉢植えのバジルがくたびれはじめてきているので、このスープで最後の食べ納めをするという面も。野菜や豆がいっぱいで、健康的。まだ寒くはないので、体が欲するのは、こんなさっぱり系スープなのです。ワンプレートで十分満足。夏の名残のバジルの香りに癒されて、夏バテ気味でももりもり食べてしまう、体力回復料理です。

世界一有名な風車小屋　NO.143

日本では、なぜかフランス文学ファンが少ないように思います。翻訳本が多くないので読者も増えないという悪循環なのか、高尚で難解なイメージがあるのかもしれません。アルフォンス・ドーデの『風車小屋だより』は短くて読みやすく、かつ、深いお話。1869年に出版された短編集で『アルルの女』『スガンさんの山羊』など、プロヴァンスが舞台の話が収められています。

1840年にニームに生まれたドーデは、生涯のほとんどをパリで暮らしました。それにもかかわらず、作品にはプロヴァンスへの愛や郷愁が満ちています。パリでの生活に疲れると、プロヴァンスの風車小屋にやってきて、思索にふけったそう。その実際の風車小屋ではないけれど、アルルからほど近いアルピーユの町フォンヴィエイユに19世紀の“ドーデの風車小屋”があり、ドーデ博物館になっています。風車小屋のなかに入れるのも、貴重な体験です。

オステオパシーで体のメンテ　NO.144

フランスも、初秋はブタクサの花粉の季節。それに加え、夏の疲れがたまり、体調不良が出やすい頃。そんな時、私の駆け込み寺は、オステオパシー。オステオパシーとは、「手」を使って体の機能を正常な状態に戻す自然医学の施術で、フランスには多くの診療所があります。骨格、筋肉、内臓、神経、リンパなどを部分ではなく、ひとつのものとしてとらえて自然治癒力を高めていくもの。ドクターによって多少の違いはありますが、基本的にはソフトな手技療法。軽く触れるだけのように感じますが、体中の緊張が緩まり、症状が軽くなります。

私たちは全能の神などではないのに、ときどきそれを忘れて無理をして、黄色信号がともってしまう。フランス人にならって、私も年に2〜3回、オステオパシーで不調を改善してもらっていますが、いつも予約がいっぱい。そのくらい浸透している療法です。

南仏のおなじみ野菜ブレット

NO.145

ふだん草ってご存知ですか？ 日本にもあるそうですが、私は南仏に住むまで知らなかった野菜です。青菜で、下の柄の部分が白く厚みがあり、葉も肉厚。フランスではBlettes（ブレット）といい、マルシェではたいてい束で売られています。地中海沿岸が原産で、古代ローマ時代から育てられてきた野菜。苦みもクセもない野菜です。

中世の頃はポロねぎとスープにして食べられていたようですが、今はベシャメルソースと合わせてグラタンにしたり、チーズとキッシュにしたり。特筆すべき一品は、ニースのスペシャリテ、Tourte de blettes（トゥルト ド ブレット）。チーズや米などとつくる惣菜版か、松の実を入れた甘いデザート版もあります。この甘いタルトが絶品。また、モナコやマントンにはブレットと玉ねぎ、チーズを詰めた、バルバジョワンという揚げスナックがあります。

プロヴァンスはピレネーまで？　NO.146

南仏に暮らしていると、連綿と続く歴史を日々感じずにはいられません。プロヴァンス地方一帯は、ギリシア人、その後はローマ人によって築かれました。ローマ時代にはローマの直轄属州となり「プロヴィンキア」と呼ばれ、ピレネーにまでおよぶ広大な地域でした。ローマからイベリア半島を結び、南北にはローヌ川が流れる交通の要衝。植民都市が要所につくられ、ローマの最新技術で道路や上下水道、農産物などがつくられました。

いまだにプロヴァンス人がプロヴァンス以北を田舎者呼ばわりするのは、ローマの恩恵をプロヴァンスのようには受けなかった北方ガリアに対し、ローマのおかげで文化水準が高かったわが地域のお国自慢なのです。カルカッソンヌ（写真）もローマ人が野営地とした場所。巨大さを誇る城塞もローマ時代のものが基盤になっています。現代の行政区分を取り払ってみると、また違った興味がわいてきます。

ブサイクだけどおいしいのだ　NO.147

マルシェでよく見る「Tomate moche（ブサイクなトマト）」「Légumes moche（ブサイクな野菜）」という文字。つまり、見た目が悪いトマトや野菜という意味なのですが、このような野菜や果物は実際にはかなり多く、フランスでは生産量の40%にのぼるという調査もあるほど。形が普通じゃない、大きすぎ、小さすぎ、シミがある、色が悪いなどといった欠点があるものを、スーパーは買ってくれません。決まったサイズのものしか入らない容器からはじかれてしまうからです。

ところが最近は意識が変わり、そのような野菜を並べたコーナーを設けるスーパーが増えてきました。通常の30〜40%安い価格が相場ですが、それで救われる収穫物があれば素晴らしい成果といえるでしょう。有機栽培のブサイク果物だけでジュースをつくり、通信販売している会社などもあり、新しいビジネスにもなっています。

「グルメバッグ」とは？

NO.148

フランスでも食品ロスの問題は大きく、食品廃棄量は年間1000万トンにものぼるといわれます。フランス政府は2021年から、飲食店は食べ残した料理を持ち帰ることができる旨を客に伝えることを義務づけました。どんなレストランでも、食べ残しの料理や飲み残しのワインボトルを入れる、持ち帰り用の袋「ドギーバッグ」（フランスでは「グルメバッグ」と命名）が用意されています。

もともとドギーバッグとは、レストランで食べきれなかった料理を「犬のために持ち帰る」という建前で使われていた容器で、アメリカなどでは普及していますが、フランスにはこの習慣がありません。残りものを持ち帰るなんて恥ずかしい、という意識が根強くあるよう。合理的なフランス人がなぜ？　とも思うのですが、もともと節約上手な彼らですし、環境へ貢献しようとする表向きの理由ができたので、習慣化される日もきっと近いはずです。

精油で手軽に、香りのある生活　NO.149

花の季節が終わっても、ラベンダーとのつき合いは続きます。バクテリンを殺し、嫌なにおいを防ぐという利点があるので、掃除や洗濯に大活躍。ラヴァンダン（ラヴァンドゥでも）のエッセンシャルオイル（精油）の簡単な使用例をご紹介します。

①床掃除に…バケツに湯をはり、掃除用洗剤（私はサボン・ノワールを使用）と、精油を数滴垂らして混ぜ、モップや雑巾で床の拭き掃除をします。
②洗濯……洗濯機の柔軟剤入れに精油を10滴ほど入れて洗濯。
③乾燥……乾燥機をまわす前、タオルなどの洗濯物に精油を10滴ほど染み込ませておくと、洗濯物もたんすのなかもいい香りに。
④ゴミ箱……ゴミ箱の底に、精油を数滴染み込ませたコットンを入れておくと、嫌なにおいを防いでくれます。

文化遺産はみんなのもの

NO.150

毎年9月第3週の週末、一年に一度だけ、2日間にわたり、ふだん非公開の歴史的建造物が一般公開されたり、通常は入場料がかかる施設に無料または割引で入れる日があります。この「欧州文化遺産の日」は、1984年にフランスの文化大臣の提唱によりはじまった催しで、フランス人が毎年楽しみにしているイベントです。今では50か国以上の国で開催されていますが、フランスだけでも1万7000以上の場所が公開。美術館や市庁舎、銀行、劇場、城、商工会議所、裁判所、個人邸宅なども含まれます。文化遺産はみんなのもの、という考え方がいいなと思います。

特別なビジターガイドなども企画され、希望者が殺到する場所は登録制になっている場合も。日程や各町の情報は、Ministère de la（ミニステール ド ラ）Culture（キュルチュール）サイト内のJournées Européennes du Patrimoine（ジュルネ ヨーロピエンヌ デュ パトリモワンヌ）に記載されています（https://journeesdupatrimoine.culture.gouv.fr/en/）。

夜の明かりは控えめ

NO.151

9月も半ばになると、夜8時前には日が沈みます。いつまでもにぎやかで明るい夜も、観光ハイシーズンもそろそろ終わり。

夜の雰囲気で日本と大きく違うのは、フランスの家のなかの間接照明。日本ではメイン照明一灯で部屋全体を均一に明るくする家庭が多いですが、フランスでは煌々と明るい室内は好まれず、どの家も必要な場所にフロアスタンドやテーブルランプなどを設置し、明かりを分散させています。中心にシャンデリアがあっても、電球の色があたたかみのある暖色なので、薄暗い印象ですがリラックスできる空間になっています。

夜に白色の明かりを浴びると、体のリズムが狂うというフランスでの研究もあるそう。そういえば、街灯もオレンジ色です。

ニースの素朴なおやつ

NO.152

ニースは海に面しているのに、意外にも名物料理に魚を使ったものがありません。玉ねぎが主役のピサラディエール、野菜にひき肉を詰めたファルシー、ふだん草のタルトなど、野菜を使ったものばかり。じつはニースは昔から農地が多く、野菜がおいしい地域なのです。

私のいちばんの推しのローカルフードは、ソッカ。ひよこ豆の粉、水、オリーブオイル、塩だけでつくる薄いお焼きです。素朴なおやつですが、なんとも滋味深いおいしさ。昔ながらに薪で焼いている店といえば、旧市街の路地裏にある1925年創業のChez Théréza。鉄板に流し込んだ生地を300℃の高温で10分焼き上げ、パリッ、ふんわり、絶妙な焼き加減。サレヤ広場のマルシェにも出店しています。注意点は、熱々を食べることと、最後に黒胡椒をひと振りしてもらうのをお忘れなく。

建築界の革命児がつくった住まい　NO.153

マルセイユの港周辺は、第二次世界大戦で焼け野原になりました。家を失った人たちのために、低予算でつくった公共の集合住宅のひとつに20世紀最大の建築家ル・コルビュジエの「ラ・シテ・ラディユーズ」があります。1947〜1952年に建造され、人体寸法を基にした尺度で337戸がつくられ、なかには学校、幼稚園、郵便局、商店、屋上庭園なども入り、ひとつの町といえるものでした。ところが「こんな奇抜でヘンテコな家にはタダでも住みたくない」と拒否した人も少なくなかったとか。価値観は変わり、今は世界遺産に登録され、高値で売買されています。

コート・ダジュールのカップ・マルタンには、彼のもうひとつの作品「休暇小屋」があります。わずか13㎡のキャバノン（小屋）で、建築家が亡くなる年まで夫妻の夏の家として使われたそう。いずれも「住宅は住むための機械である」といった彼の思想に触れられる場所です。

散歩しながら食べ歩き　NO.154

秋は実りの季節。ぶどうもオリーブも、アーモンドも実ります。9月の収穫期はアーモンド農家も大いそがし。プロヴァンスの野山には自生するアーモンドの木がありたくさん実がなっているので、秋は散歩しながら実を集めては、大きな石で割って食べ歩き。そんな私も、南仏に住むまではアーモンドの実がこんな姿をしているとは知らなかったのですが……。

アーモンド産地のプロヴァンスでは、郷土菓子もアーモンドを使ったものがとても多いのです。マカロン・プロヴァンサルも、ヌガーも、エクス・アン・プロヴァンスの銘菓カリソンもアーモンドの粉でつくったお菓子。アーモンドはビタミン豊富で、コレステロールを下げてくれる効果もあるとか。炒っただけの無塩のアーモンドがマルシェやオーガニック店で売られているので、お腹が空くと、おやつがわりにぽりぽり食べています。

ヴァンスに伝わる門外不出のレシピ　NO.155

アーモンドを使ったお菓子のなかで、いちばん好きなものをあげるなら、それはクラックラン。ヴァンスの町にあるPatisserie Palanqueで1927年につくられ、門外不出のレシピとして現在に至るまで、家族経営で味を守っています。ブリオッシュ生地とクロワッサン生地をあわせたものに、カラメリゼしたアーモンドが丸ごとごろごろ入り、蜂蜜もふんだんに使われたぜいたくな焼き菓子。飾り気はなく素朴ですが、素材勝負の南仏らしい豊かなお菓子です。

ヴァンスはニースの北西20kmに位置し、昔はイタリア側の“プロヴァンスの入り口”といわれていたそう。城壁に囲まれ、中世の町の雰囲気が残り、体にいい湧き水の泉や噴水が旧市街のなかだけで24もあります。ニース方面に来るとこの町に立ち寄って、大きいサイズのクラックランを買って帰ります。現在の当主は、3代目のジェラールさん。ながくこの味を伝えてほしいと思います。

8000年以上前の古代の家？

NO.156

リュベロンを車で走っていると、石でできたドーム型の小屋のようなものをよく見かけます。地中海に面した南フランスは古くから交通や軍事の要衝で、およそ100万年前から人が暮らしていたといわれます。ネアンデルタール人、ホモサピエンスが武器をつくって狩りや漁をして暮らし、紀元前6000年頃になると羊などの家畜を飼い、穀物を育てて定住生活がはじまりました。時代は諸説ありますが、その頃からリュベロンではボリーと呼ばれる石づくりの小屋を建て、住居にしてきたといわれます。18世紀まで倉庫や収穫物の貯蔵用などに使われ、その後は打ち捨てられたまま、畑のなかにぽつんぽつんと残っていて、風景のアクセントになっています。

なかに入ってみると、大きいものには炉や貯蔵槽の跡があり、壁が厚くて真夏でもひんやりしています。ゴルド郊外には、修復されたボリーを20ほど集めた「ボリーの村」があり、見学できます。

天才画家の“生きる歓び”　NO.157

南仏には多くの画家が集まったことから、美術館がいくつもできました。アンティーブのピカソ美術館もそのひとつ。60代のピカソが、古城グリマルディ城をアトリエにして、2か月間、創作にはげんだ場所。見学できる唯一のピカソのアトリエでもあります。

この城で制作していた頃、ピカソは40歳以上年下のフランソワーズ・ジローを恋人にしていました。ピカソの愛人のなかで唯一、自分の意思で天才画家のもとを去った女性。新しい恋が画家の創作の炎に再び火をつけ、絵画、陶芸、彫刻など精力的に作品を生み出しました。ここを去る時、全作品が市に寄贈されたため、この町にピカソコレクションが誕生しました。なかでも若き恋人が中心で踊る大作『生きる歓び』には、ピカソの幸福感があふれています。

南仏の刺しゅうブティ

NO.158

プロヴァンスには、古くから伝わる刺しゅう「ブティ」があります。2枚の布を重ねてステッチで模様を施し、なかにコットンを詰めるキルトの一種ですが、模様が立体的なレリーフとして浮き上がり、とても美しいものです。17〜18世紀、マルセイユには刺しゅうの工房が集まり、貴族のために室内用の布やベビー服などがつくられていました。とくに婚礼用の白いベッドカバーは、高度なテクニックでステッチする手の込んだものでした。19世紀にはカラフルなプリント布を用いたシンプルなステッチのものも登場。残念ながら、このような手のかかる仕事をする工房はなくなってしまったので、手刺しゅうのブティはアンティーク品しか手に入れることはできないけれど、機械刺しゅうのランチョンマットなどは専門店やみやげもの店で気軽な値段で買えます。

レースのように優美な丘陵

NO.159

ヴァントゥ山の隣には、ダンテル・ド・モンミライユという石灰岩の峰が続いています。ダンテル（レース）のように優美な丘陵というイメージなのでしょう。なんて素敵な命名。遠くから見ても、印象的なシルエットです。このあたりは見どころも多く、散策やドライブするのも楽しいエリア。

古代ローマと中世の町ヴェゾン・ラ・ロメーヌ、フランスで最も美しい村のひとつセギュレ、赤ワインの産地ジゴンダス（写真）とヴァケラス、甘口ワインの産地ボーム・ド・ヴニーズ、山頂の村クレステからの眺めも捨てがたい。これらの町を周遊すると、約60km。石灰岩のレースの峰をぬけ、ぶどう畑の間を走るのは爽快です。ジゴンダスとヴァケラスは、シャトーヌフ・デュ・パプの弟分的赤ワイン。一方、ボーム・ド・ヴニーズはマスカットのデザートワインで、プロヴァンスの定番アペリティフです。

知らない町を旅する

NO.160

新学年がはじまったと思ったら、フランスの学校はもう秋休み。10月後半から約2週間のプティ・ヴァアカンスです。南仏はまだ暖かいので、夏を惜しむ人々が押し寄せ、混み合います。フランスの学校は休みが多く、このあとは12月にノエルの休み、2月に冬休み、4月に復活祭の休暇（つまり2か月に一度！）。

知らない町を旅するのは素晴らしい経験。子どもにとっても、大人にとっても。人生を歩むのと同じで、行けると思ったのに行き止まりだったり、迷子になったり、突然素晴らしい景色が開けたり。曲がってみなければ、歩いてみなければわからない。想定内ではないからおもしろい。知らない地を旅するための能力があるとしたら、筆頭は語学ではなく自立心。旅は判断と決断と実行の連続です。

L'automne

秋

コロブリエールで栗と音楽

NO.161

秋になると南仏の数か所で栗祭りが開催されるけれど、10月の日曜日に3回行われるコロブリエールの祭りはとくに楽しい。コロブリエールはサン・トロペから35kmほど内陸に入った、ヴァール県のモール山塊にある村。ぶどう畑に囲まれ、深い栗の森があることで知られます。祭りでは、地元の生産者や職人ら200以上の出店者が集まり、鉄鍋で栗を炒ったり、栗のコンフィチュールやマロン・グラッセ、栗のビスケット、栗の蜂蜜などが試食、購入できたりします。それに、祭りには欠かせないプロヴァンスの古楽器、胴長の太鼓タンブーランと縦笛ガルーベの演奏や、民族衣装をまとって踊る民族舞踊ファランドールが見られるのも楽しみ。プロヴァンスでは太鼓と笛の両方をひとり二役でこなすので、その技にも注目です。

観光局が主催する栗林ツアーや、きのこ狩り、モール山塊のランドネ(P.17)などに参加するのもいろんな発見があっておすすめです。

ハーブの花を追いかけて　NO.162

のどが痛みやすい秋冬は、蜂蜜を食べる量が増えます。スプーンですくってなめたり、パンにのせておやつにしたり。プロヴァンスの蜂蜜といえば、やっぱりハーブ。ラベンダー、タイム、ローズマリーの花。どれも癖がなく、紅茶やハーブティーにもぴったりです。ハーブのにおいがするわけではないので、お茶の香りを邪魔することもありません。アカシアは透明でさらさらしていて、やさしい甘み。ティユル（西洋菩提樹）や栗の花は個性的な味わいです。

養蜂家は花の時期が来ると、花咲く場所に行って巣箱をおき、季節の花を追いかけて移動します。マルシェで販売している小規模の養蜂家は移動型で質にこだわるつくり手ばかりですが、スーパーでは、同じ場所で蜂を飼育する大型の養蜂会社のものが多くおいてあります。南仏の郷土菓子は蜂蜜を使うものが多く、昔から蜂蜜とのかかわりが深い地だとわかります。

奇想天外なマントンの「結婚の間」　NO.163

ヨーロッパの結婚のベストシーズンといえば6月。けれど南仏の6月はすでに真夏の暑さなので、この地では秋の10月がいちばん人気です。結婚式は2日から3日かかることも。市庁舎と教会でセレモニーを行い、披露宴は夜通しです。

市庁舎には、結婚の契約を交わすための「結婚の間」があるのですが、マントン市庁舎の結婚の間は奇想天外。手がけたのは、芸術家ジャン・コクトー。正面には新郎新婦が描かれ、右の壁には村の婚礼が描かれ、不服そうな母や泣いている元カノジョ、意味ありげな占い師の姿もあります。左の壁にはギリシア神話のオルフェウスをテーマに、恋人エウリュディーケが黄泉の国に連れ去られる場面が描かれています。また床のカーペットがヒョウ柄なのは、新婦に戦いを挑む義母を暗示しているそう。風変わりな結婚の間ですが、市庁舎という場でこれが許されるのがフランス。自由！

迷ったらカフェ・グルマン　NO.164

　レストランでの食事の最後、ちょっと甘いものが食べたいけれど大きなケーキは無理という時にフランス人が注文するのが、Café gourmand。たいていのレストランのデザートメニューにあるはずです。ミニサイズのクレームブリュレ、マカロン、カヌレ、チョコレートケーキやタルトなど最低3種以上のお菓子の盛り合わせにフルーツやホイップクリームが添えられ、エスプレッソコーヒーがセットされています。各種を少しずつという分量が絶妙で、結局ケーキ1個分くらいのカロリーになるのに不思議とペロリと食べられてしまいます。

　1990年頃にパリで生まれて大ヒット。それ以来、フランス中のレストランに広まりました。これを考えた人は心理学者か何か？　と思うくらいの名案で、今ではフランス国民の3割のお気に入りデザートなのだそう。平均的な価格は10ユーロ程度です。

巌窟王が脱獄したイフ島へ

NO.165

ほかの季節にくらべて、晩秋は雨が降る日が増えます。でもそんな時こそ、あの島に行くにふさわしい。マルセイユから3km沖に浮かぶ、イフ島へ（写真中央）。この島は16世紀の要塞で、1580年に政治犯を収容する牢獄イフ城となった小島です。1844年からフランスの新聞で連載され、大ベストセラーになったアレクサンドル・デュマの小説『モンテ・クリスト伯』の舞台として有名になりました。日本では明治以来『巌窟王』のタイトルのほうで知られているかもしれません。主人公エドモン・ダンテスが無実の罪で14年間捕らわれる監獄として登場し、嵐のなか脱獄を試みる場所。思い入れの強い読者には、青空より曇天のほうが盛り上がります。「エドモン・ダンテスの独房」と書かれたプレートの演出もうれしい。

実際には、春でも夏でも美しい場所。そばのフリウル島にはレストランやビーチもあるので、地中海クルーズ気分で訪れてみては。

南仏みやげの定番といえば

NO.166

オリーブが採れてオイルがつくられれば、石けんが名産品となるのは道理。シリアのアレッポのオリーブ石けんが伝わり、マルセイユで本格的につくられはじめたのは14世紀。72％以上のピュアな植物オイルを使用したもののみ、Savon de Marseille（サヴォン ド マルセイユ）（マルセイユ石けん）を名乗ることができますが、AOC（原産地統制呼称制度）によって守られてはいないのでラベルもなく、本物かどうかを見分けるのは至難の業。信頼のおける石けんメーカーや生産者から購入するしかありません。伝統的には無香料、無着色で、2色あります。緑色はオリーブオイルで体用。ベージュはパーム油で洗濯用。ベージュのほうで顔を洗ったら洗浄されすぎてかさかさになってしまうのでご用心。

私の場合、とくに秋冬はアーモンドオイルやアルガンオイルを使用したもの、ロバや山羊ミルク配合のしっとりリッチなタイプ、エッセンシャルオイルが入った香りのいいものを愛用しています。

CREPERIE
SALADERIE
CREPERIE
CREPERIE-SALADERIE
Les Salades
Les Crêpes salées
CLIMATISEE
SALON de THÉ
CREPERIE
SALADERIE
GLACES
Service Non-Stop
Aujourd'hui
PATISSERIES
CREPES
CAFE
CHOCOLAT THÉS
BOISSONS
Le Menu 18€
Salade du Chef

真っ赤な秋、見つけた

NO.167

ヨーロッパの秋は黄葉のイメージだけれど、ツタの真っ赤な紅葉も美しいもの。10月中旬から11月後半にかけてさまざまな種類の木々が色づいていき、緑から赤へ移り変わる過程のグラデーションも素敵で、春の花の競演に勝るとも劣らない華やかさです。さくらんぼ、プラタナス、ぶどう、マロニエ、ブナ……。時期も色も違う紅葉を1か月くらいの期間たっぷり楽しめるなんて、まさに至福の時。ピラカンサなどの赤い実と相まって、南仏中が赤や黄色に染まります。

レストランのテラス席で、はらりと落ちてきた1枚の赤い葉をテーブルの上においておいたら、サービスの男性にさっと払い除けられたことがあります。色づいた落ち葉を美しいと思う感性は、日本人特有なのかもしれません。

光あふれるフォンテーヌ

NO.168

朝のカフェでも、日のあたる席を選ぶ季節になりました。背中がほわんとあたたかくて、幸せ。隣の席のノルマンディから来た女性が「南フランスには、光テラピーがあるわよね」といいました。

リュベロン地方自然公園に隣接するフォンテーヌ・ド・ヴォークリューズでは、光が川の水面に反射して、さらに美しく輝きます。地下の水源から毎秒120mlの清流が湧き出す泉なので、川の水草がまるで陸の草のように見えるほど、水が透明。黄色く色づいてきた木々の葉に、秋のやさしい光が透けています。ペトラルカ博物館の背後の場所が私たちのお気に入り。5本のプラタナスの大木が円になって生えていて、周囲は川に囲まれています。理屈抜きに気持ちのいい場所なのです。とくに朝の光は透明感があって、聖域のようです。

水車で紙づくり

NO.169

フォンテーヌ・ド・ヴォークリューズの泉に向かって川沿いに坂道を歩くと、右側に紙すき水車小屋のVallis Clausa（ヴァリス クローザ）があります。大きな水車がまわっているので、すぐにわかります。泉から大量に湧き出るソルグ川の水力をいかして、このあたりでは中世から水車で紙づくりが行われてきました。

現在、この紙すき水車小屋では、中世そのままの方法で紙をつくっています。ガッタンゴットンと水車がまわり、その動力で原料の麻や綿の生地を叩いてペースト状に。その後、ソルグ川の水で、ジェラールさんが一枚一枚、手で紙をすいていきます。

フランスで水車を使って紙を製造販売しているのは、このヴァリス・クローザだけ。丹精込めてつくられた紙は、店内で購入できます。1900年代中頃につくられた、ドイツのハイデルベルク社の活版印刷機で印字された詩などは、額に入れて飾るととても素敵です。

フランスの“お盆”には菊の花　NO.170

11月1日は、すべての聖人を祝福するカトリックの祝日、万聖節（トゥーサン）。そして翌2日は死者の日。先祖や親族の墓参りをする日本のお盆同様、亡き人を思い、墓を掃除して花を供えるのですが、墓地には、意外にも日本と同じ菊の花。少し前から、黄、ピンク、オレンジ、白の菊の鉢花が花屋さんに並びます。フランスの菊はカラフルなものも多く、亡き人への愛の花なのだそう。日本人からすると意外ですが、赤い菊の花言葉はJe t'aime（ジュ テーム）。この時期に墓地に行くと、花畑のように色とりどりです。

イギリス、アイルランド、アメリカなどアングロサクソン諸国ではハローウィンのお祭りが有名ですが、じつはこれ、万聖節の前夜祭としてはじまったもの。かの国々では、前夜祭の習わしが残りました。フランスでのハローウィンは商業的なイベントが行われたりします。

暖炉や薪ストーブを使う前に

NO.171

冬が訪れる前にやっておかねばならないこと。それは、煙突掃除。なんていうと、すすだらけになって掃除する昔の様子を想像してしまうけれど、現代は長いホースを備えた煙突専用掃除機でガーガーと吸い込むだけ。風情も何もありません。専門業者がやってきて、ビニールで暖炉のまわりを養生し、暖炉の扉からホースを差し込みすすを吸い込んで、終了。とはいえ、これをやっておかないと火災保険も下りないそう。暖炉や薪ストーブのある家は、年に一度、きれいにしてもらうのが大切な年中行事のひとつなのです。

いそがしい活動期の夏が終わり秋が来て、万聖節の秋休みが過ぎると、店舗は長期休暇をとり、民家は薪を家に運び、熊のように冬のお籠もり準備をはじめます。春や夏はエネルギーを放出し、秋冬は温存する季節。秋が日に日に深くなっていきます。

カフェオレボウルの意外な事実

NO.172

「フランスでカフェオレを頼んでカフェオレボウルで出てきたためしがないのですが、どうしてですか?」と日本からのお客様に聞かれました。たしかに、おしゃれ系のカフェでもなければ、通常カフェやホテルではカップ&ソーサーで出てきます。じつは、日本でカフェオレボウルと呼ばれるあの器は、フランスでは「ボウル」と呼ばれます。お碗といった意味で、カフェオレ専用の器というわけではないのです。もとはスープを飲むための器でした。

フランス人は朝食でカフェオレをたっぷり飲む人が多く、昔は朝食専用の巨大なカップ&ソーサーが使われて「朝食用のカップ」と呼ばれていました。収納スペースもとるので、次第に家庭ではカフェオレにもボウルを使うようになったのでしょう。ちなみにカフェオレを飲むのは朝だけ。昼食や夕食後にミルク入りのコーヒーが飲みたい時は、エスプレッソにミルクが入ったCafé noisette(カフェ ノワゼット)を。

マルシェ袋とマルシェかご

NO.173

フランスでは野菜や果物のプラスチック包装を段階的に使用禁止にする法律が2022年に施行されましたが、マルシェでは昔から紙の袋に入れ、量り売りするのが習慣です。フロマージュリーや精肉店などの商店でも、紙にくるくると包んでくれます。そういえば日本でも、昔は精肉店でコロッケを紙にはさんでもらって食べたっけ。そんな懐かしい思い出がよみがえります。

一方、日本で人気のマルシェかごは、フランスでは特別おしゃれアイテムというわけではなく、老若男女、誰もがマルシェで買いものする時に持参する、実用的なかごバッグです。日本では通勤に使う人もいると聞くけれど、フランスではマルシェ以外でこのかごを使うのは、ピクニックと海水浴かな。

秋の味覚はオレンジ色

NO.174

最近はフランスでも、ハローウィンをイベント的に楽しむようになりました。プロヴァンスのわが町のマルシェでは、かぼちゃをピンにしたボウリング大会が行われます。老いも若きも、こんなたわいもないことに熱中できるプロヴァンスが、やっぱり好きです。

ポティマロンというかぼちゃでつくるポタージュスープは、濃いオレンジ色で濃厚な味わい。ひょうたん形のバターナッツはやさしい味のスープに。同じ頃、マルシェにはクレモンティーヌが並びはじめます。柑橘類の一種で、マンダリンとオレンジが自然交配したもの。葉つきのものは、手作業で収穫された無農薬のものだそう。Kakiも秋の定番。二等分にしてスプーンですくって食べる完熟タイプがKakiで、食感があるものは Kaki Pomme（カキポム）（柿りんご）と呼ばれます。

無形文化財企業ラベルとは

NO.175

伝統的な職人技が失われないように、2005年にフランス政府はある公式ラベルをつくりました。無形文化財企業「EPV」ラベルです。これは、伝統的な職人技や技術を備え、メイドインフランスの製品をつくるメーカーに、経済・財務大臣から授与されるもの。このマークがついていれば品質にまちがいありません。2022年12月末の時点で1448企業が認定されています。

銀器の老舗クリストフルやノルマンディのカジュアルウェア、セントジェームスなど、ジャンルはさまざま。南フランスなら陶磁器、サントン人形（P.209）、マルセイユ石けん、チョコレート、ガラス器、ナヴェット（P.10）、織物などをつくる工房や企業が認定されています。フランスの手業を後世に伝えている企業というお墨つきは、惜しみない努力を続けるメーカーにはうれしいご褒美だし、消費者にとっても優良企業が可視化されて参考になります。

晩秋のマジックアワー

NO.176

晩秋から冬にかけての日没前の時間は、一日を締めくくるのにふさわしい美しさ。葉の落ちた樹々がつくるシルエットは繊細な銅版画のようだし、闇とともに訪れる静寂もまた、今だけのもの。

秋や冬の夕焼けは、まさにマジックアワー。テラスの壁には太陽の熱が残っていて、日の名残をそこに宿しています。夜のとばりがおりる瞬間、今日という一幕は終了。空が真っ赤に染まった翌日は、風が吹くと隣人に教わりました。

ところで、EUではサマータイム廃止の法案が2019年に欧州議会で可決されているので、廃止される日は近いかもしれません。それまでは、10月最終日曜日の午前3時に冬時間になり、1時間、時間が戻ります。夏時間は3月最終日曜2時から。

白馬の真剣勝負アブリヴァド

NO.177

カマルグの伝統、アブリヴァドの祭りは11月11日。サント・マリー・ド・ラ・メールの海岸で行われます。カマルグ馬は大人になるとクリーム色の美しい白馬になるのですが、アブリヴァドは、この美しい馬を間近で見られる貴重な一日です。200人以上の牧童(ガルディアン)と1000頭以上のカマルグ馬が集まり、チームごとに1頭の闘牛を囲い、闘技場アレーナまで運ぶ技を競います。

牧童と馬が一体となり、荒々しい巨大な闘牛を制御しながら6kmの道を進む姿は迫力満点。カマルグの人たちにとって馬は頼もしい仕事の相棒であり、大切な家族であることが伝わってきます。この祭りを見たら、誰もがカマルグ馬と牧童に惚れてしまいます。

サント・マリー・ド・ラ・メールの闘技場では、カマルグ闘牛レ・クルス・カマルゲーズを3月から11月に開催しています。剣をもたず、牛を殺さない平和的な闘牛が見られます。

フランス人である前に、地中海人　NO.178

フランスのひとり当たりのオリーブオイルの年間消費量はわずか0.5L程度だそうだけれど、南仏だけで調査したらイタリアやスペインと同様に10Lくらいはゆうに消費しているはず。

南仏っ子は好みもはっきりしていて、新鮮な青っぽい味がするFruité（フイテ）vert（ヴェール）がおいしい、喉がピリッとする品種でつくられたものが体にいい（抗酸化作用が高いとか）、濃い紫に熟成してからつくられた遅摘みタイプNoire（ノワール）がまろやかで最高など、皆、一家言があります。品種によって、産地によって、風味も香りも変わってくるので、オリーブオイルのテイスティングも楽しいものです。

「俺たちはフランス人である前に、地中海人」とは夫の口癖。フランスの北部の人とより、似た気候や文化を持つ地中海圏の人たちとのほうが共通点が多いのはたしか。声が大きいのも、エピキュリアン（享楽主義者）なのも、楽天家なのも、それは地中海人だから。

無心になりたい時

NO.179

最近は銀器を扱うアンティークショップが減っています。手入れが大変とどの店主もいいますが、暮らしのなかで普段使いをしていれば、シルバーはいい状態を保てます。最初からセットで買うのではなく、好きなものを少しずつ買い足して、ときどき手入れしながら日常的に使うのが理想的だと思います。

私は、落ち込んだり、無心になりたい時は、決まって銀みがきをします。シルバーのカトラリーやプレート、ティーポットなどをひたすら黙々とみがくのです。手は真っ黒になりますが、銀の曇りがとれ、心も晴れ晴れ。銀も真鍮もブロンズも、どれもみがけば光りを取り戻すもの。今日はこれをみがくぞ！ とまずテーブルに並べて、気合を入れて集中するのもいいものです。

たくましくて力強い南の赤

NO.180

11月の第3木曜日午前0時、ブルゴーニュ地方のボジョレー・ヌーヴォーが解禁されます。収穫したばかりのぶどうを醸造した新酒。カフェで1杯、お祝い気分で飲むのは楽しいものです。

秋になると赤ワインが俄然おいしく感じられますが、南仏の赤といえば、シャトーヌフ・デュ・パプ。13種のぶどう品種をブレンドする"教皇の新しい城"という名前のワインです。ローマの教皇庁がアヴィニョンにおかれていた14世紀からつくられてきました。もうひとつの代表的な赤は、バンドール。太陽、地中海、ミストラル、土壌の条件が相まってできる、たくましくて力強い南の赤。どちらも熟成を要する赤で、時間がある休日に、仔羊などを焼いてゆっくり味わいたいワインです。ぶどうの紅葉は、品種によって色が違うので、何種類もの品種を使うシャトーヌフ・デュ・パプの畑もバンドールの畑も、グラデーションが複雑で見事な秋景色になります。

デギュスタスィオンの流儀

NO.181

ワインが好きな人には、フランスに来たらぜひワイナリーでデギュスタスィオン（テイスティング）を試してほしい。ソムリエでもないのに試飲なんて、と敷居が高く感じている人も多いですが、南仏なら気楽に試せます。色を見て、香りを確認し、グラスをまわしてもう一度香りを確かめ、口に少し含んで味わい、余韻をチェック。飲み込まずに吐器に吐き出してもOK。有料のところもありますが、購買を検討するための試飲なので無料のところも多いです。口に合わず購入しない場合は、チップを少し渡すのが流儀です。

また、レストランでワインを頼むと必ず試飲を求められますが、これはコルク臭などの品質劣化がないかどうかの確認。好みではないから取り替えて、ということはできません。

過去最高の幻のブイヤベース

NO.182

マルセイユ生まれのブイヤベースは、岩場の小魚や小さなカニ、魚のアラを砕いて白ワインで煮込み、トマトやサフランなどとともにさらに煮込んで、何度もこして仕上げる魚のスープです。ニォロンのAuberge du Mérou（オーベルジュ デュ メル）やマルセイユのPéron（ペロン）などの店で食べることが多いですが、私が過去に食べたブイヤベースでとくに印象に残っているのは、あるカマルグの食堂のもの。寒い11月、お腹が空いて入った店でした。15年も前のことで店名も覚えていないし写真も撮っていないのだけれど、たまたまその日の定食がブイヤベースだったのです。高級店のような立派なものではなかったけれど、五臓六腑に沁みわたるおいしさで、漁師鍋だった昔の、元祖ブイヤベースと感じるものでした。カマルグに行くたびに探しても、見つけることができない幻のブイヤベースなのです。

高級志向でもマニアックでもなく

NO.183

フランスの家庭では、オーガニック食品の購入額がこの10年で2倍以上になりました。EUやフランスは、20世紀初頭にBIO（有機農法）の研究や取り組みがはじまり、化学薬品や農薬を使わない農業が誕生。1980年代には世界初の有機認定マークがフランスで登場しました。ビオの加工品には合成化学着色料や香料、遺伝子組み換え作物などが使用できません。動物の飼育にも動物の健康を尊重する規制がされています。1991年からは有機農業者に補助金が支給されるなど国がビオを後押ししています。人間の健康はもちろん、土壌、水、気候、生きものの生態系への配慮が重要な課題になっています。

フランス南部や南西部は晴天が多く、雨が降ってもその後には風が吹いて雨粒を吹き飛ばしてくれるので農作物が腐りにくく、有機農法がしやすい地域。青果、ワインなどビオが多く、価格も下がり、広く浸透してきています。

天空の城に行くなら

NO.184

ジブリ作品『天空の城ラピュタ』のモデルになった村のひとつともいわれるゴルドは、フランスで最も美しい村にも認定されている有名な鷲ノ巣村。ここを訪れる年間（実質的には春から秋の半年）の旅行者数は100万人を超え、見晴らし台はいつも人でいっぱいです。

でも、晩秋の11月、寒い晴天の日の朝に行くと、この村の穴場的な美しさを見ることができます。なぜなら、この時期は朝霧が出ることが多いのです。夜間に気温が下がることで空気中の水蒸気が凝結し、日の出とともに太陽の光で地表があたためられて霧が発生します。つまり気温が下がり、翌日晴天の予報であれば、雲海の上に浮かぶゴルドの村が見られる可能性が高まります。

日本でも秋の季語になっているように、朝霧はこの時期ならではの自然現象。人もまばらなオフシーズンだけれど、夢のような風景に出会えるなら、訪れてみる価値はあるかもしれません。

売ります、買います

NO.185

のみの市やブロカント(P.43)が大好きなフランス人は、基本的に中古品に対する抵抗がない人が多く、インターネット上でも、不用品の売買サイト「ル・ボンコワン」が大人気。家具や洋服、家や車まで売買されています。

町にはDépôt-venteなるショップがあちこちにあります。中古の委託販売店で、いらなくなったものを預けておき、売れた額の一部を受け取るシステム。ブランド品や貴金属、インテリアの販売店もあります。とくに郊外には広大な敷地に家具やオブジェやテーブルウェア、絵画、アクセサリー、食器、ピアノまで並ぶような大型店もあり、店内を見ているだけで楽しくてあっという間に時間が過ぎてしまいます。のみの市と違ってジャンル別に陳列され、値札もついていて、値段交渉は不可。こんな場所もフランス人の節約精神が感じられて興味深く、思いがけず素敵なものに出会える可能性も大きいです。

異国情緒あふれる日常食　NO.186

　クスクスは北アフリカの料理ですが、フランスの学校の食堂にも出てくるくらい日常食として親しまれています。スムールという細かいセモリナ粉のクスクス粒をふっくら蒸して、野菜や肉類をのせ、スープをかけていただく料理。2段に分かれた蒸し器クスクス鍋の下段でスープを煮込み、上段でクスクス粒を蒸します。具は羊肉や鶏肉、辛いマルゲーズソーセージ、肉団子などで、これらすべてが入っているものをクスクス・ロワイヤルといいます。肉は煮込みかグリル。赤い唐辛子ソースのアリッサを添えていただきます。

　寒い日に食べるとあたたまります。リル・シュル・ラ・ソルグの高級なクスクス・ロワイヤル（写真）もおいしいのですが、マルセイユに住んでいた時はカヌビエール通りからほど近いLe Saf Safという庶民的なチュニジア料理店が好きでした。野菜入りスープがおかわりできる、マルセイユらしい異国情緒あふれる店です。

人と同じでなくていい

NO.187

完璧でなくていい、人と同じでなくていい、合わない人とはつき合わなくていい、人からどう見られても気にしない、というのは南仏に来て学んだこと。人と違っても、自分の意見を主張しても嫌がられることはありません。人と違うのは当たり前。逆に人に合わせるのが上手な人や、意見のない人は尊重されない風潮があります。

ネクラより明るいほうが、人として価値があるという偏見もありません。ひとりで何かを追求し、成し遂げようと努力する人は尊敬されます。人生は自己責任。だから私も余計な口出しはしないし、されるのも好きではありません。でもそれは人に無関心なのではなく、南仏っ子も人との交流は大好きで、うちのお客様が迷っていたら家まで連れてきてくれるなんてことはしょっちゅう。私も彼らの助け合い精神に助けられています。個人を尊重する「個人主義」。それは自分勝手でエゴイズムな「利己主義」とは違うのです。

L'hiver

冬

ノエルのために麦の種をまく

NO.188

南仏では、ノエルの準備は聖バルブの日、12月4日から。町のイルミネーションが施されるのもこの頃です。準備のなかで唯一、ドキドキ緊張することがあります。それは、麦(またはレンズ豆)をまく任務。3つの小皿に水で浸したコットンを敷き、そこに麦をのせて育てるのですが、この芽の出方で来年の豊凶を占い、健康、幸福、繁栄を祈るものなので責任重大! ノエルの食卓には、青々とまっすぐにのびた麦の芽3皿と、3本のろうそくが必須なのです。それまで、枯れないように目を光らせておかなければなりません。

イブの日から25日の昼食まで食卓の上に並べ、26日から1月6日のエピファニーの日まではクレッシュ(P.209)のなかにおき、その後は庭に植えるのが正式な習わしだそう。ちなみに食卓は白いテーブルクロスを3枚がけ。3の数字で「三位一体」を表します。キリスト教徒ではないけれど、できる範囲で楽しんでいます。

壮大なジオラマ「クレッシュ」づくり　NO.189

11月中旬から開かれ、クリスマスムードを盛り上げてくれるのが、サントン人形の見本市。サントン人形というのは、キリスト降誕の場面のジオラマ「クレッシュ」のパーツなのですが、あなどってはいけません。南仏っ子のクレッシュに対する熱意は想像を超えています。キリスト誕生の馬小屋の場面だけでなく、昔のプロヴァンスの服を着たパン職人、漁師、羊飼いなどさまざまな職業の人々、ペタンクに興じる人々、編みものをする女性、ミストラルに吹かれる老人など多種多彩。それに村の家や教会、動物、本物の水が流れる池や水車などの風景パーツも各種あり、宗教を超えた壮大なプロヴァンス世界のジオラマを家族総出で飾るのです。

人形は、今も職人が手作業で素焼きでつくり、彩色しています。サントン人形見本市で毎年買い足す人が多いよう。なかでも1803年から続くマルセイユの市がもっとも古く有名で、12月末まで開催されます。

ほかほかにあたたまる幸せのマルシェ　NO.190

ノエルまでの時間は特別。プレゼントを選んだり、食事のメニューを考えたり、道ゆく人たちの楽しそうな顔を見ているだけでうれしくなります。サンタクロースへの専用ポストなども町に設置され、子どもたちがサンタさんへのお願いの手紙を入れています。さすがに私は遠慮するけれど、お願いしたいものは何かしらと考えて、心のなかのポストに投函。

マルシェ・ド・ノエル（クリスマスマーケット）は規模の大小はありますが、小さな町にも立ち、かなり盛況です。友達や家族としゃべって食べて、子どもたちは移動遊園地で遊んで、ただそれだけなのに幸せがいっぱい。キャンドル、郷土菓子、アクセサリーなどの店をひやかして、私もあたたかいワイン、ヴァンショーを1杯。おじさんが大きな鍋のふたをあけ、お玉ですくって手渡してくれます。シナモンのいいにおい。体はほかほか。空には満天の星が広がります。

冬の夜のホットドリンク

NO.191

寒い夜は、ヴァンショーなどのホットドリンクを飲んで風邪予防。喉にいいといわれるラベンダーの蜂蜜を食後のハーブティーに入れると、安眠効果もありそう。喉風邪かもと思ったら、ラム酒入り紅茶「グロッグ」を飲んで寝るのがフランス流の治し方です。

「グロッグ」は、小鍋で紅茶をつくり、ラム酒かウイスキー大さじ2〜3、蜂蜜大さじ2、レモン汁半個分を加えてあたためます。

ホットワイン「ヴァンショー」は、鍋にワイン（赤か白）400ml、シナモン半分〜1本、八角ひとつ、クローブひとつを入れてあたため、蜂蜜大さじ1、オレンジのスライス半分を入れ、沸騰直前に火から下ろします。どちらも熱々のうちにいただきましょう。

キャンドルを日常づかい

NO.192

キャンドルを日常的に使う楽しさを知ったのは、南フランスで暮らすようになってから。アペロに誘われて友人の家にいくと、家中にキャンドルを灯して非日常を上手に演出していたり、廊下にいい香りのキャンドルがおいてあったり。

私は食卓以外では香りのいいキャンドルが好きで、バスルームやリビング、寝室に何種類も並べて日替わりで使っています。ふわっとやさしく香ってくれるのでリラックスタイムには欠かせません。それに揺れる炎が癒し効果大。嫌なにおいもすぐに消してくれるので、魚を焼いた後などにも効果的です。

最近は石油由来の原料ではなく、植物性ソイ（大豆）ワックスを原料にしたものが主流。有害物質が含まれず、すすが出にくく、香りが早く広がり、燃焼時間が長いのもうれしい。センスのいい香りのキャンドルをつくる小さな店も増えています。

ノストラダムス発案の高貴なお菓子　NO.193

ノエルが近づくと、プロヴァンスっ子が真っ先に買いに走るもの、それは果物のシロップ漬け「フリュイ・コンフィ」。あたためたシロップに果物を漬け込み、1か月以上かけて徐々に糖度を上げ、果物の水分を取りのぞいたフルーツの砂糖漬けです。古くは王や貴族の食卓にのぼった高貴なお菓子。

この製法を発案したのは、16世紀にサン・レミ・ド・プロヴァンスで生まれた、予言者として有名なあのノストラダムス大先生。1555年の著作にその基本レシピが記載されているそう。このお方、もとは医者なのですが、料理にまで関心があったとは。

春夏のフルーツを冬まで保存するために生まれたものですが、口に入れると誰もが驚きます。砂糖で封じ込められた果物のおいしさが口のなかで放たれます。老舗Lilamand（リラマン）の社長に聞いたところ、基本的な製法はノストラダムスの頃から変わっていないとのことでした。

プロヴァンスの飴ちゃん

NO.194

昔の人がいかにものを大切にしたかという証人、それが、カルパントラ名物のベルランゴ飴。この飴は、フリュイ・コンフィ（P.213）をつくった後に残ったシロップを再利用したもの。三角錐のかわいいキャンディで、フランスでもっとも古い飴のひとつなのです。なかでも、ミント、レモン、アニス味が伝統的ですが、今はいちごやラベンダー味なども。印象的なのが、白い縞模様。飴の一部を練って白くしたものを紐状にして縞模様をつくっています。

昔と変わらない製法でこの名物飴をつくっているのは、カルパントラのLa Confiserie du Mont Ventoux。オーナーのティエリーさんが巨大な飴の塊をのばしたり、練ったり、丸めたりしながらつくっています。予約をすれば、製造過程を見せてもらうこともできます。

お風呂でアロマリラクゼーション　NO.195

寒い夜は、エッセンシャルオイルでアロマ風呂。冬はお風呂にゆっくり浸かって、体をあたためてから休むと熟睡できます。プロヴァンスのエッセンシャルオイル専門家に教わったリラクゼーションバスのアロマレシピを伝授します。とっても簡単！

シャワージェル（液体石けん）をカップに50ml程度入れ、ダイダイ（プチグレン・オレンジ）の精油15滴を垂らします。お湯をためる際に、これを注ぎます。頭が疲れた時にもおすすめです。

もうひとつは、プロヴァンス定番のラベンダーソルト風呂。ガラスジャーなどに海の粗塩250g、真正ラベンダー6滴を入れ、よく混ぜたらでき上がり。バスタブにぬるめのお湯を勢いよく注ぎ、そこにラベンダーソルトを入れてお湯をためながら溶かします。お肌もつるつるになります。

13種類のお菓子をそろえて

NO.196

プロヴァンスのノエルはお菓子を準備するのも大仕事。24日の深夜のミサの後にトレーズ・デセール（13のデザート）を食べる習慣があるので、13種類もデザートを用意しなくてはなりません。13は、キリストと12使徒を表した数字ですが、とはいえ、デザートといってもアーモンドやクルミ、干しぶどうなどのナッツやドライフルーツも含まれますし、みかんや梨など生の果物も入ります。後は、蜂蜜たっぷりの白と黒のヌガー、ポンプ・ア・ユイルというオリーブオイル入りのパン、アーモンドの粉でつくったエクス・アン・プロヴァンスのカリソン、フリュイ・コンフィなどの郷土菓子。

現代っ子にはあまり興味を持ってもらえないものなので、現在はショコラやマロン・グラッセ、ブッシュ・ド・ノエルと呼ばれる丸太をかたどったケーキのほうがむしろメインです。わが家も13にはこだわらず、好きなものでデセールコーナーをつくります。

トレーズ・デセールの主役

NO.197

プロヴァンスでは、クリスマスイブの夕食が一年のなかでもっとも大切といわれます。伝統的にはタラとアンチョビ、野菜といった肉抜きの質素な食事だったそうですが、だからこそ、ミサの後のトレーズ・デセールがどれだけ楽しみだったかは想像にかたくありません。今は宗教色が失われ、イブの夜から豪華な食事をとる家庭がほとんどですし、13種類のデザートをそろえる家は少なくなっていますが、ポンプ・ア・ユイルを食べる家は多いと思います。

これは、オレンジフラワーウォーターの香りがきいたオレンジの皮入りの菓子パンです。ブリオッシュのようですが、バターではなくオリーブオイルが使われています。ノエルの時しかブランジュリーに並ばない特別なパン。ほのかな甘みで、素朴な味わいです。

家族と一緒に過ごす2日間

NO.198

12月24日はレヴェイヨン(イブ)。この日の夜から家族が集まります。ディナーの定番は生牡蠣、スモークサーモン、フォアグラのテリーヌ、帆立貝のポワレなど。深夜0時には各町の教会でミサが行われますが、敬虔なクリスチャンは減っているので、ミサには行かない人も多いよう。伝統的にはミサの後、家に戻ってトレーズ・デセールをいただきます。

翌25日の朝は、ツリーの下にプレゼントが山積み。さっそくプレゼントの開封です! そして、豪華なランチを楽しみます。仔牛や鶏肉の白いソーセージ、ブーダンブランや、お腹に栗やきのこを詰めたシャポン(去勢鶏)、ホロホロ鶏のオーブン焼きなど。とびきりおいしい赤ワインと一緒にいただくチーズは、ケーキのように美しく盛りつけます。離れている家族が集まり、家で過ごすのがフランスのノエルなのです。

黒いダイヤモンド

NO.199

トリュフというのはじつにミステリアスなきのこの一種。オークの根にしか育たず、雷がよく鳴ると豊作で、収穫のベストタイミングは新月の後。プロヴァンス地方はフランスの採取量の7〜8割を占めるトリュフの産地で、リシュランシュなどの産地でトリュフ市が立ちます。裏通りではハンターとディーラーの商談が密やかに行われ、即時パリ、ロンドンやニューヨークへと飛んでいきます。

世界三大珍味といわれるトリュフですが、この地では気どらず、卵やじゃがいもと一緒に料理します。うちの定番は、半生のスクランブルエッグ「ブリュイアード」。トリュフをざくざく切って、最後に卵に混ぜ入れます。トリュフの歯ごたえと特有の香りが卵の甘みとからみ、一度食べたら忘れられない味。そういえば数日前、郵便受けに丸めた新聞が入っていて何だろうと思ったら、農家の友人からトリュフのおすそ分けでした。ブリュイアードをふるまわねば！

大鍋でコトコト煮込む冬のごちそう NO.200

フランスで暮らしはじめて何より衝撃だったのは、ポトフはスープではなく肉料理だったこと。日本ではキャベツとソーセージをごろっと入れたコンソメスープのイメージでしたが、全く違いました。

牛肉の肩肉、ほほ肉、上股肉あたりの塊肉を2〜3種取り混ぜて、クローブやブーケガルニと一緒にブイヨンスープで2時間ほどゆっくり煮込んでほろほろ、とろとろに。そこへポロねぎ、にんじん、じゃがいも、かぶなどの野菜を食べる30分ほど前に投入します。

肉と野菜をたっぷり取り分け、ブイヨンスープは具が冷めないように上にかけまわす程度です。マスタードか粗塩をつけながらいただきます。大鍋で大量につくるので、数日はポトフ三昧。煮込むほどにブイヨンスープがおいしくなるので、残ったスープは冷凍して次のポトフに使う家庭も。ちなみにソーセージでポトフをつくる家は、フランスでは限りなくゼロに近い気がします。

簡単DIYの掃除洗剤

NO.201

フランスには取りたてて年末に家中の大掃除をする習慣はありませんが、家や気持ちを清めて、新しい年を迎えるための日本の大掃除の習慣はいいなと思います。わが家の昔ながらの大掃除用洗剤をご紹介します。

①みかんかオレンジの皮と水適量を鍋に入れ、3分ほど煮出し、水がみかん色になったら冷ましてスプレー容器に入れ油汚れの掃除を。残った皮はお茶パックに入れて、頑固な油汚れをふきます。いい香りですし、効果は絶大！ 冷蔵庫に入れて3日ほどで使い切ります。
②食器洗いの洗剤大さじ1、ラヴァンダン（ラベンダー）の精油10滴、タイムの精油10滴、酢100mlをスプレー容器に入れて混ぜるだけ。床からバスタブ、キッチンなど、これ1本で大掃除。酢のにおいはすぐにとびます。タイムの精油がなければラヴァンダンを倍量入れましょう。

新しい年へカウントダウン

NO.202

あっという間の一年がもうすぐ終わり、そして、またはじまります。私たちに与えられた時間はいつだって期限つき。大晦日は、教会の鐘の音がいつもと少し違って聞こえます。

一年の最終日は、にぎやかに過ごすのがフランス流。パリなどの町ではカウントダウンのさまざまなパーティーがありますが、プロヴァンスの田舎町では友達が家に集まり、一緒に過ごすことのほうが多いです。ごちそうを用意して、深夜までおしゃべり。0時になったらシャンパンを抜き、皆の幸せと健康を願って、いっせいに「Bonne année（ボナネ）！(明けましておめでとう！)」。ほおにキスを交わし合います。外に出れば、ご近所さんにもボナネ！ 道ゆく人にもボナネ！ 知らない人とでも、新年を祝えるのは心があたたまります。

一年の最後に食べる料理とは

NO.203

寒くなると熱々のオニオンスープが食べたくなります。フランス人は大晦日のパーティーの後にこの料理を食べるのですが、体をあたためるからという理由だけではないのだそう。ノエルからずっと、油、糖分、アルコール……たくさんのごちそうを食べ続け、体は悲鳴を上げています。そんな時こそ、デトックス効果抜群のオニオンスープの出番なのです。玉ねぎはミネラルやビタミン、食物繊維が豊富。肝臓の働きを高めて発汗を促し、オリゴ糖も多く含まれているので胃腸を活性化、疲労回復にも役立つそう。

このスープをフランスで最初につくったのは、ルイ15世の料理人といわれています。王の狩猟の途中、手元にあった玉ねぎとバターとシャンパンで即席でつくったそうです。ブラッスリーではオニオンスープにパンとチーズをのせてオーブンであたためたオニオン・グラティネが定番。フランス旅行の途中、食べ過ぎた時にもおすすめです。

特別なことは何もない寝正月

NO.204

1月1日は、一年の最初の1ページ。まっさらな365ページの最初の一歩です。実際には日付が変わっても、何も変わらず人生は続くのですが、それでも暦というのはありがたいもので、気持ちを新たに再スタートできます。いったん立ち止まって大きく深呼吸。元日はそんな日。

ところがフランス人の元日は、前日の年越しパーティーの疲れで、文字通りの寝正月。全く特別感のない一日です。食事は残りもののチーズやパンなどですませておしまい。そして翌2日からは平日の日常に戻ります。空気まで生まれ変わったように感じる日本の元日のほうが私は好きです。

人生は、偶然の出来事や出会いの数珠つなぎ。その選択一つひとつで道はつくられていきます。さて、この一年、どんな出会いや出来事が待ち受けているでしょう。

冬の保養都市ニース

NO.205

ニースはユネスコの世界遺産に「リヴィエラの冬季保養都市、ニース」として2021年に登録されました。18世紀中頃以降、欧州の貴族や上流階級の人々が冬に訪れ、発展してきたこの町の成り立ちが登録理由です。現在は夏の観光地のイメージが強いけれど、1930年代以降、庶民に有給休暇が与えられ、ヴァカンスが一般化するまでは、ニースは冬の避寒地だったのです。

そもそもニースがイタリアのサヴォワ伯爵家からフランスに割譲されたのは、わずか160年ちょっと前の1860年。フランスに帰属してから、海辺に沿ったプロムナード・デ・ザングレ（イギリス人の散歩道）がつくられ、新しい地区が開発され、温暖な立地をいかした冬の保養都市に生まれ変わりました。夏のような華やかさはないけれど、人もまばらな冬の静かな海辺で、波が引く時の石の音をじっと聞いていると心が洗われるようです。

エピファニーの王冠

NO.206

1月6日は、エピファニー（公現祭）。東方三博士が星に導かれて幼子イエスのもとにたどり着き、礼拝した日といわれます。12月25日に生まれ、1月6日に神として“正式認定”されたイエス。そのためノエルのお祝いは、この日が最終日なのです。クリスマスツリーを片付けるのも、6日以降。

エピファニーに食べるのが、紙製の王冠がついてくるガレット・デ・ロワ。お菓子のなかにフェーヴ（そら豆）と呼ばれる陶製のフィギュアが隠されており、フェーヴが当たった人はその日は王様で、その一年、幸運が訪れるそう。パイ生地にアーモンドクリームが入ったものが一般的ですが、プロヴァンス地方は王冠形のブリオッシュ「ガトー・ド・ロワ」。上にはフリュイ・コンフィがのっています。好みは分かれますが、結局ガトー・ド・ロワとガレット・デ・ロワの両方を食べる家庭が多いよう。

原始的な火のぬくもり

NO.207

南仏も冬はコートがいる程度には寒くなります。海辺から内陸に入ると温度が少し下がり、零度以下になる日も。そんな日は、暖炉や薪ストーブが大活躍。電気ヒーターよりも速攻であたたまり、夜、火を落とした後もあたたかさが残ります。街には暖炉のないアパルトマンも多いですが、田舎では必須アイテム。暖房は暖炉しかない家もあるくらいです。

燃える薪の火は、海と同じくらい強力な癒し力。パチパチ薪がはぜる音を聞きながら、本を読み、うとうと……。人それぞれに合った心身の疲れの癒し方があると思うけれど、暖炉の火も最高のテラピーのひとつです。真綿に包まって一生過ごすことはできないからこそ、自分を甘やかしてあげる日は必要。原始的な火のぬくもりに身をゆだねていると、芯まであたたまってきます。

甘く幸せな、休日の朝の1杯　NO.208

寒くなってくると無性に飲みたくなるのが、ショコラ・ショー（ホットチョコレート）。小鍋にミルクを入れてゆっくりあたため、カカオパウダーを入れて、かき混ぜます。牛乳200mlにカカオパウダー大さじ1〜2杯。甘さ控えめではおいしくないので、この時ばかりはダイエットは忘れて、少なくとも角砂糖ひとつは入れましょう。最近は脂肪分を省いたヘルシーで高品質なカカオパウダーも、ショコラティエなどで売られています。フランスでショコラ専門店に行く機会があったら、ついでにカカオパウダーも買っておくとフランス風のおいしいショコラ・ショーが日本でも飲めておすすめです。

急いでいる時は、ダマができたりしておいしくつくれないので、時間がたっぷりある休日の朝、心おだやかに静かにかき混ぜて。自分へのささやかなプチご褒美です。Bon dimanche！（いい日曜日を！）

禁断の山小屋風料理　NO.209

禁断のラクレットの季節です。これは、あたためたチーズを、ゆでたじゃがいもとハムにかけていただくサヴォワ地方（フランス東部）の料理。本格的には塊のチーズの表面を溶かすのですが、チーズを溶かす家庭用のラクレット用グリルがあるので、簡単に楽しめます。フランス人家庭なら、大阪人のたこ焼き器並みには所有しているはず。あるいは、冬限定のチーズ、モンドールを木箱ごとアルミに包んでオーブンであたためるだけで簡易ラクレットができます。

この時期はスーパーやチーズ屋さんにはラクレットチーズがずらり。ブルーチーズ、トリュフ入りとさまざまですが、プレーンとスモークの2種が定番。ハムは生ハムと白ハム、チョリゾやモルタデッラなど。ワインは辛口でまろやかな白。赤なら軽くてフルーティーなタイプが合います。

“色彩の魔術師”最後の傑作

NO.210

「冬の午前11時がもっとも美しい」。そういったのは、アンリ・マティス。第二次世界大戦下、イタリアに占領され、連合軍による爆撃の危険性が迫ったニースを離れて、22kmほど内陸にある町ヴァンスに疎開した画家マティスは、この町でロゼール（ロザリオ）礼拝堂をつくりました。親交の深かった修道女ジャック・マリーの夢を叶えるために、4年の歳月をかけて、無報酬でつくり上げた礼拝堂です。ステンドグラス、祭壇、屋根、手すり、その他細部に至るすべてがマティスの作品。病に侵され、余命6か月と宣告された後、画家がつくろうとしたのは、精神の憩いの場所でした。

「この礼拝堂に来た人の心が清められ、心の重荷を下ろせるような、そんな場所にならんことを」

　冬の午前11時。青、黄、緑のステンドグラスの透明な色と光が、礼拝堂全体に広がっていきます。

失敗してもあきらめない

NO.211

隣人からもぎたてのりんごを山ほどもらった時は、タルト・タタンにして恩返し。物々交換は、私の理想。できることを交換して暮らせたら最高です。

タルト・タタンとはフランス中部、ロワール川近くのソローニュ地方で生まれたお菓子。19世紀末、ホテル・タタンという宿を経営していたタタン姉妹が、デザートをつくり忘れてしまった時に機転をきかせて考案したりんごの焼き菓子です。バターと砂糖、りんごを型に詰めて先に焼き、小麦粉にバターを練り込んだブリゼ生地をかぶせて最後に丸ごとひっくり返すというもの。このホテルでは今も同じレシピでつくられ名物になっているそう。りんごの甘みと酸味、それにバターと砂糖のカラメルが一体となったおいしさです。禍を転じて福となすとはまさにこのこと。人間は失敗をする生きもの。大切なのは、失敗してもあきらめない心意気だと、タタン姉妹は後世に伝えています。

冬のヴァカンス

NO.212

1月になると、南仏では長期休暇に入るところが多くあります。パリのような都市とは違い、南仏は季節労働的な面があり、とくに宿や商店は夏の間はヴァカンスをとらず、ノエルの繁忙期を終えてから1か月ほど休むところがあります。高級ホテルやレストランは、冬季は完全に閉めるところが増えています。

海外の常夏の島で冬のヴァカンス、そこまで遠出しない場合は、暖かいマントン（写真）などで過ごす人も。休暇をとらなくても冬季は静かに暮らす人が多く、留守かと思えば、煙突から暖炉の煙が出ていたりします。漢方医学では、冬はエネルギーを消費するなといわれるそうですが、その点ではプロヴァンス人は優等生。一年中、同じペースで過ごさなければという思い込みは捨てていいのかもしれません。

南仏でたどり着いた、人生の意味　NO.213

私のまわりの南仏っ子たちは、うらやましいほど夢を自然に語ります。叶わなかったら恥ずかしいとか、こんなことといったら馬鹿にされるなどとは思わないのでしょう。大人になってからでも、え、今から?! と驚くようなことをいったりします。先日も、50歳の友人が、苦労して成功させた自分の会社を売却し、新しい人生を切り開くために世界一周のひとり旅に出ました。年齢は関係ないよう。

嫌いなことを無理してがんばるより、好きなことに時間を費やし、自分のなかにあるダイヤモンドの原石を磨いたほうがいいんじゃないか、そしてそれぞれが得意なことを糧にして、人と助け合って生きることができたら……。それが、南仏で暮らしてたどり着いた、人生の意味。

1月も終わりに近づくと春の兆しが感じられますが、季節は一進一退。万物は変化し続けています。だから毎日が新しい自分だし、夢もどんどん更新していけばいい。

美しい夜明け。午前8時。教会の鐘が鳴っています。今日もいい一日になりますように。

L'éveil 春のはじまり

Le printemps 春

La saison douce 初夏

L'été 盛夏

L'été indien 初秋

L'automne 秋

L'hiver 冬

町田陽子
Yoko MACHIDA

エッセイスト。愛知県生まれ。大学卒業後、東京で書籍、女性誌、美術誌などの編集にたずさわる。2008年に渡仏。現在、南仏プロヴァンス地方の町リル・シュル・ラ・ソルグ在住。築120年以上の家を大改築したシャンブルドット（宿）「ヴィラ・モンローズ」を夫とともに営むかたわら、ライフスタイル、食、旅などのテーマを中心に執筆を行っている。アンティークのコレクターでもある。著書に『ゆでたまごを作れなくても幸せなフランス人』（講談社）、『南フランスの休日プロヴァンスへ　最新版』『南仏の台所から プロヴァンスのいつものごはん』（イカロス出版）がある。

ヴィラ・モンローズ公式サイト　https://www.villamontrose.com

季節で綴る南フランス213

南仏の美しい田舎町としあわせ暮らし

文・写真　町田陽子

デザイン　塚田佳奈（ME&MIRACO）
マップ　ZOUKOUBOU
校正　坪井美穂
編集　鈴木利枝子

2024年1月10日　初版発行

発行者　山手章弘
発行所　イカロス出版株式会社
〒101-0051　東京都千代田区神田神保町1-105
電話　03-6837-4661（出版営業部）
メール　tabinohint@ikaros.co.jp（編集部）

印刷・製本所 株式会社シナノパブリッシングプレス

Printed in Japan
＊海外への旅行・生活は自己責任で行うべきものであり、
本書に掲載された情報を利用した結果、なんらかのトラブルが生じたとしても、
著者および出版社は一切の責任を負いません